ACTIONS ET ACTEURS

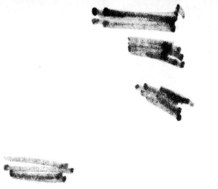

DENIS GUÉNOUN

ACTIONS ET ACTEURS

Raisons du drame sur scène

BELIN

DU MÊME AUTEUR

Théâtre, récits

L'Énéide, d'après Virgile, théâtre, Actes Sud, 1982
Le Printemps, théâtre, préf. T. Todorov, Actes Sud, 1985
Un Conte d'Hoffmann, théâtre, L'Aube, 1987
La Levée, théâtre, éd. du CDN Reims, 1989
X ou le petit mystère de la passion, théâtre, Cahiers de l'Égaré, 1990
Paysage de nuit avec œuvre d'art, théâtre, Cahiers de l'Égaré, 1992
Le Pas, théâtre-récit, L'Aube, 1992
Lettre au directeur du théâtre, théâtre, Cahiers de l'Égaré, 1996
Monsieur Ruisseau, théâtre, en coll. avec T. Dommange, Circé, 1997
Scène, théâtre, éd. Comp'Act, 2000
Un sémite, récit, Circé, 2003

Essais

L'Exhibition des mots, Une idée (politique) du théâtre, L'Aube, 1992, rééd. augmentée, Circé-poche 1998
Le Théâtre est-il nécessaire ? Circé, 1997
Relation, Entre théâtre et philosophie, Cahiers de l'Egaré, 1997
Hypothèses sur l'Europe, Un essai de philosophie, Circé, 2000
L'Enlèvement de la politique, Une hypothèse sur le rapport de Kant à Rousseau, Circé, 2002
Après la révolution, Politique morale, Belin, 2003
Avez-vous lu Reza ? Albin Michel, 2005

© Éditions Belin 2005
ISSN 0991-6458   ISBN 2-7011-**4072**-2

Pour Michel

LA FACE ET LE PROFIL[1]

C'était à Strasbourg, pendant l'hiver, ou le printemps 1977. J'étais un des animateurs de L'Attroupement, jeune troupe de théâtre au tempérament insoumis et à la vie un peu agitée. Nous répétions depuis plusieurs mois une pièce d'Eschyle, dans le but de reconsidérer le théâtre depuis son origine, et d'en interroger l'essence la plus native. Il me semble – la chronologie de ces semaines me reste un peu incertaine[2] – qu'après avoir expérimenté quelques fragments des Choéphores, nous nous étions déjà résolus à travailler Agamemnon. La troupe n'avait aucun moyen de vie assuré. Notre fragile subsistance se soutenait de contributions militantes obtenues auprès du public, sous forme de places vendues pour un spectacle futur à la date imprévisible et au titre changeant. Et dont, surtout, nous ignorions le lieu. Car nous étions démunis de tout espace, pour préparer nos réalisations, puis les rendre publiques. Notre premier souci était donc de trouver où répéter. Nous sollicitions de la mairie, distraite, des locaux en tous genres, même pour des périodes réduites. C'est ainsi qu'on nous attribua, pour une petite semaine, la jouissance de la salle principale d'un centre socio-culturel de la périphérie :

---

1. L'occasion initiale des divers textes qui composent cet ouvrage est indiquée en fin de volume, pp. 218-219.
2. *Cf.* D. G., *Un sémite*, Circé 2003, chap. 3, pp. 121 *sq.*

7

la MJC de la Meinau[3]. *Il n'y avait là pas grand-chose, ce n'était pas un théâtre, plutôt une maison de quartier pour animations et activités sociales. Mais dans le volume central, libre et vide, brillait un massif joyau, un autel fascinant et redoutable que nous approchâmes avec la frayeur envoûtée d'explorateurs pénétrant un tombeau interdit : une* scène.

Nos rapports avec la scène *étaient alors distants. La compagnie s'était formée, deux ans plus tôt, à l'écart de toute institution, par la seule volonté conjointe de quelques jeunes gens – sans finances, sans théâtre bien sûr, et donc sans la moindre* scène. *Notre première production avait trouvé sa niche dans un café, en poussant un peu les tables. La suivante, dans le caveau d'un restaurant. Et la troisième, qui nous avait valu quelque notoriété sur les marges (l'*Off, *alors naissant) du Festival d'Avignon de 1976, devant le portail, sur le toit, et même dans les travées de l'église en béton d'une banlieue populaire*[4]. *C'est dire que nous n'étions pas familiers des* scènes. *Mais nous haussions cette carence en vertu : affirmant que, de scène, il n'en fallait point (ou : plus), tant c'était le lieu d'élection des pouvoirs, et que donc, pour ce théâtre d'un jeu libéré que nous appelions de nos vœux et engagions en pratique, il s'agissait de se défaire de toute scénocratie et de toute mise-en-scène, ce qui allait bien avec la collégialité intempérante que nous revendiquions pour notre petite cellule. Groupe d'acteurs nous étions, et entendions rester.*

Ce refus de la scène s'alliait à une conception, et une façon de faire, quant au jeu. Pendant nos séquences, nos moments d'apparition et de texte (que nous baptisions rarement scènes*), nous évoluions entre les spectateurs, étant restés préalablement indiscernables parmi eux avant chaque* passage au jeu.

---

3. Depuis transformée en une salle de spectacle un peu mieux dotée, et baptisée *Pôle Sud.*

4. Respectivement : *Roméo et Juliette* (1975, à l'Ange d'Or), *La Nuit des Rois* (1976, au caveau du Dauphin), et *Jules César* (1976, à l'Eglise Saint-Joseph de Champfleury) – obstinément Shakespeare. Sur l'aventure de ces années, *cf.* « De l'Attroupement et de ses amis », in *Saisons d'Alsace*, nº 120, été 1993 (Ed. de la Nuée Bleue, Strasbourg), et « Années soixante, le vent, la liberté » (titre donné par l'éditeur), in *Autrement*, « Avignon », série France H.S. nº 1, juin 1990.

Et nous retrouvions cette indistinction, après chaque séquence jouée et parfois même entre les répliques, nous fondant dans la foule comme des militants clandestins entre leurs actions. Cet usage se raccordait à quelques présupposés ou consé-quences : a) pendant qu'un acteur joue, disions-nous, l'autre l'écoute : donc il redevient spectateur, et doit s'immerger dans l'attroupement de ceux qui assistent ; b) le joueur est entouré de public, comme il baigne dans la vie : il doit donc jouer de tous les *côtés, simultanément. Le jeu est affaire de tout le* corps, dans tous *les sens, comme il se trouve des spectateurs de toutes parts pour regarder et entendre de partout. Aucune scène donc – car il n'existe jamais, strictement, de scène sans direction, ou au moins sans restriction de l'ensemble des direc-tions possibles. Aucune scène n'est jamais tout en rond, malgré quelques rêves généreux. La scène est, de quelque façon, ados-sée : elle n'est pas une piste. Donc : plus de scène, seulement du jeu. Non que la distinction entre joueurs et spectateurs fût amoindrie, effacée : tout au contraire, elle s'en trouvait accu-sée, remarquée plus fermement. Car la différence entre qui joue et qui écoute,* c'est le jeu *: que l'un joue, et pas l'autre, qui regarde. Le jeu produit sa différence, qu'il institue sans cesse. Nous voulions penser et pratiquer un jeu qui fût toujours* passage au jeu, *que tout jeu exhibât à chaque instant sa venue, son instauration, sa naissance, sans jamais s'installer dans son maintien, ni sa séparation.*

Exigeante pratique. Qui supposait en particulier une extrême attention aux lieux concrets, comme aires de la vie, et que le spectacle fût conçu, pensé, disposé pour le site précis où il se trouvait présenté. Car nous, les joueurs, n'étions pas pauvres en monde : au contraire, nous jouions du monde, de tout le monde autour de nous. Ce qui impliquait une grande sensibilité aux espaces, aux agencements de murs et de vides, et une mise en lieux très soignée. Nous nous y sommes adon-nés, plus d'une fois, avec succès. Mais les spectacles s'en trouvaient du coup, au sens strict, intransportables. Chaque transfert requérait une longue séquence de répétitions, pour réinventer la mise en monde de nos actions et de nos paroles. S'ensuivaient de grandes difficultés économiques. Pour que la

9

troupe vécût, surtout sans subsides, il fallait jouer, jouer beau-coup, et donc « tourner », comme on dit. Or « tourner » suppo-sait que nous pussions nous installer en quelques heures – la plupart du temps dans un théâtre, et généralement sur une scène. Après deux ou trois ans d'intransigeance, nous l'avouant ou pas, nous inclinions à tenter l'expérience : éprouver ce qu'on pouvait bien faire de, et sur, cet étrange dispositif. La MJC de la Meinau, quand royalement on nous l'ouvrit pour cinq jours, nous en offrit l'occasion.

Je livre ces souvenirs pour expliquer une bizarrerie qui peut surprendre : l'extrême attention que je mis, ce jour-là, à obser-ver un de nos plus talentueux acteurs[5] montant sur ce plancher vide, très surélevé, qui faisait face à une salle déserte d'où nous, ses compagnons, le regardions, curieux et rétifs, aborder l'audacieuse tentative – la raison d'un souvenir si vif, d'impressions si nettes. Ce qui me frappa d'abord, ce fut son évidente jubilation. Il était doué d'un fort tempérament, et les acteurs ont du goût pour la scène : ils aiment y entrer, y monter, s'y trouver, présents et actifs. Aucune surprise, mais après cette période de refus, brève et intense, sa joie, son allègre pétulance, cette fougue un peu exaltée sans autre motif que d'être là s'est tout de même vivement inscrite dans ma mémoire. Puis, dès l'engagement du travail – malgré notre égalitarisme affiché, j'assumais alors, souvent, la « direction d'acteurs », même à vrai dire la mise en scène : agencement des actions, recherche de cohérence narrative, construction des liens entre métiers – je remarquai un changement brusque de l'économie du jeu. Au milieu des spectateurs, notre jeu avait cherché un mode affirmatif de l'exister : netteté gestuelle, fermeté de parole, syntaxe des comportements, et la plus grande inventivité, la plus grande justesse (exubérante ou sobre), dans la tenue du discours. Il s'y était agi d'habiter sa propre personne, parlante ou agissante, avec rayonnement, à partir de ce foyer irradiant qu'était le texte, travaillé en vue d'accroître la puissance motrice de chaque mot. Le rayonne-ment de cette vie en jeu était donc, de toute nécessité, omni-

---

5. Bernard Bloch.

directionnel. Avec des spectateurs dans le dos, sur les côtés, au dessus, l'affaire était de vivre la vie du jeu avec la plus grande justesse, de toutes parts à la fois. L'affaire même de la vie, sans doute, recevant ici un entraînement à l'exposition, à la circularité des regards. Vie comme agrandie sans changer de taille, densifiée sans aggravation. Dès que Bernard monta en scène, dès les premières « indications » que je fus poussé à lui donner, tout s'agença différemment. Il s'agit alors de ramasser, large, comme avec un racloir, toutes ces énergies diffusées alentour, de les réunir, liées en gerbe, disponibles pour être jetées dans une seule direction. Il fallait tout rassembler, ou le plus possible, de sa vivacité, de son existence même, pour la déverser, la lancer à toute force du côté encore vide où du public allait être réuni. Nous n'étions pas modérés : le style de jeu prit un air de music hall, de concert rock. Je demandai à Bernard de tout catapulter à la salle, comme Mick Jagger à ses moments de grâce. La scène *me parut entraîner, par la seule disposition de sa machine, une pratique entièrement aimantée, monofocale, toute livrée ou délivrée d'un côté : tout entière* de face[6].

Bernard jouait seul : nous travaillions sans doute un monologue, ou une partie chorale. Je ne sais plus comment je m'avisai de l'existence d'une deuxième modalité de l'énergie scénique. La vraisemblance voudrait qu'elle m'apparût lorsqu'un second acteur eut à monter sur les planches : parce que les deux comédiens auraient eu alors à se considérer, à jouer en se dirigeant, non plus vers la salle, mais vers le partenaire. Je ne pense pas que la nécessité se manifesta ainsi : même

---

6. La face dont il s'agit ici n'est pas nécessairement le visage, bien sûr, mais le sens de l'adresse. La face offerte peut être le ventre, ou le dos. *Cf.* Montaigne : « Je ne sçay qui demandoit à un de nos gueux, qu'il voyoit en chemise en plein hyver, aussi scarbillat que tel qui se tient ammitonné dans les martes jusques aux oreilles, comme il pouvoit avoir patience : Et vous monsieur, respondit-il, vous avez bien la face descouverte : or moy je suis tout face. » *Essais*, I, XXXV (ou XXXVI), « De l'usage de se vestir », Gallimard-Pléiade 1962, p. 222. Selon le glossaire de cette même édition, p. 1766, « scarrebillat » se traduit par « éveillé, alerte ». Texte cité par R. Bresson, *Notes sur le cinématographe* [1975], Gallimard 1988, p. 39 (mais avec une référence apparemment inexacte).

pour traiter un dialogue – il s'en trouve dans Eschyle, quoique rares et circonscrits –, le jeu de face se fût imposé encore, un peu à la manière de l'échange protocolaire de chefs d'Etat dans les salons d'un aéroport, devant officiels et caméras, qui s'adressent l'un à l'autre, côte à côte, en se disant Vous, Monsieur le Président, mais le regard droit vers l'assistance, comme si le texte devait être lancé à l'auditoire pour rebondir vers le partenaire. Dispositif d'oratorio, d'opéra d'ancien style, où l'adresse au partenaire n'est que le corrélat, l'effet secondaire, d'une adresse au public qui la précède et la fonde, exhibée sans gêne, avouée. Nous aurions préféré sans doute cette solidarité latérale, ce soutien côte à côte, nous épauler dans un chant partagé, à la pauvre fiction du troc des répliques, à sa mesquinerie boutiquière. Plutôt tresser la puissance des voix que marchander des regards émus. Il est donc plus probable que je repérai la seconde énergie en voyant l'acteur seul, par un besoin vital de suspendre l'adresse directe, disposer son corps de profil, *pour interpeller un interlocuteur présent ou absent, peu importe, mais surtout pour silhouetter sa propre figure, dessiner graphiquement la ligne de son appareil physique, pour* faire image. *Car l'adresse n'est pas la seule puissance de la scène. La scène n'est pas une tribune. Si prioritaire soit-elle (l'a priori, le transcendantal des planches), l'adresse doit s'alléger par moments pour s'ouvrir à une autre formule scénique, celle du dessin, de la figure, de l'image. Un acteur ne joue pas toujours, poitrail dégagé, en s'offrant à l'immédiateté frontale de la salle comme le héros aux salves du peloton. Il lui faut aussi cette surprenante façon de* se retirer *du don de la face, pour extraire et abstraire une disposition de lignes, proposer au regard le silhouettage, la mise en figure, le croquis du corps. Tout le théâtre ne se contracte pas dans le masque : et le masque même est la procédure d'absentement de la face, qui libère, qui livre la plasticité du tronc et des membres. La scène produit et alimente l'alternance de ces ressources : faciale et latérale. On pourrait défendre que* le jeu est jeu de ces deux composants, *qu'il n'est jeu qu'en faisant jouer l'une avec l'autre ces deux*

puissances du plateau : frontale et figurale, adresse et image
– la face et le profil.
   Nous voici devant deux dimensions primordiales, et hétéro-
gènes, de l'être en scène, que l'on peut figurer ainsi :

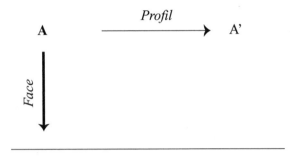

Public

   La première dimension est celle qui s'oriente, pour un
acteur A, depuis le point d'émission de son énergie (de com-
munication ou d'expression), vers l'auditoire, le public, la
salle. La seconde est celle qui peut se porter en direction du
partenaire, A', présent en scène ou virtuel. C'est celle qui se
présente à la salle comme ne lui étant pas directement adres-
sée, mais configurant pour elle une image, un dessin, un profil.
Précisons un trait de chacune de ces orientations.
   La portée faciale du jeu, ou frontale (face, ou front) se
manifeste diversement. Elle peut s'exhiber – comme nous fai-
sions avec le jeu adressé, « envoyé à la salle », le style rock-
star inopinément importé à la MJC de la Meinau en ce prin-
temps 1977. Les occasions de cette adresse directe sont
variables : monologues narratifs, parties chorales, apartés
dans les dialogues, interpellation des spectateurs dans le jeu
comique, chansons – avec toute la rhétorique gestuelle des
bras ouverts au public, du don à la foule –, manières de
meneurs de jeu, de fantaisistes, d'animateurs de music-hall,
de présentateurs de cabaret, etc. L'adresse y est avouée, elle

joue du public et avec lui, le pose comme partenaire, fait fond sur sa réactivité : rires, applaudissements, profondeur des silences. Ce jeu suppose, excite, simule parfois une interlocution active entre scène et assistance. Mais l'orientation du jeu de face ne s'exprime pas dans ces seules formes très extériorisées. Car tout un régime du théâtre s'instaure par le refoulement, l'interdit de la prise en compte explicite du public : de Goldoni à Szondi, on n'en finirait pas d'énumérer les préceptes ou théorèmes posant la dramaticité comme absentement de l'auditoire, faisant équivaloir le régime propre du drame avec la clôture de la scène, et donc avec l'exclusion de toute référence affichée à une salle censément vide, évanouie : ce que formalise la métaphore du « quatrième mur »[7]. *Or, on le sait bien, la dimension faciale du jeu ne disparaît pas pour autant. Le lexique ou la rhétorique de la mise en scène, convenue ou inventive, en usent sans cesse : frontalité de la parole par adresse dans le vide, pensivité, interlocuteurs absents ; trucages directionnels ou artifices narratifs pour ouvrir le jeu au public en feignant de l'ignorer (dont le poncif fut longtemps cette orientation* de trois-quarts *du corps du comédien, compromis à peine voilé entre profil supposé et face effective), picturalité des décors frontaux avec simulations plus ou moins expertes, etc. Qu'est-ce qui se joue, en mode pataud ou habile, sous ces bricolages et faux-semblants ? L'impossible syncope ou élision radicale de l'adresse. La racine de l'adresse ne peut être extirpée. Or, à travers ce jeu étrange, où l'adresse est à la fois inexpugnable et cependant déniée, simultanément cultivée – parce qu'elle fonde tout être possible du théâtre – et opiniâtrement bridée, émerge une thématique théorique et*

---

7. « Tout croule, comme au cinéma lorsqu'un acteur tourne brusquement son regard vers la salle et paraît nous regarder. L'*acte* – le regard en est un – déchire la fiction. » J.-P. Sartre, *L'Idiot de la famille*, cité dans *Un théâtre de situations*, Folio-Gallimard 1992, p. 214. Pour Sartre, la scène est intrinsèquement le lieu de la fiction, que l'acte comme tel déchire. Il y a donc incompatibilité entre le jeu de l'acteur et toute action, tout acte effectif. Paradoxalement, l'acteur est celui qui n'agit jamais. Il ne peut que ressentir, son mode d'existence en scène ressortit en bloc au régime de l'affect et de la passion. Pas d'acte des acteurs, seulement une *passion de l'acteur*. Sur cette mutation interne du drame, qui le déporte de l'action vers la passion, *cf.* ci-dessous, « Raison du drame », pp. 91 *sq.*

pratique de toute première importance. Institutrice du théâtre dans son devenir moderne : du théâtre comme moderne et comme théâtre moderne. Ce qui se fait jour dans cet entre-deux impossible, cette schize intenable et obstinément poursuivie, c'est l'assomption, en fait et en pensée, de l'être en scène comme présence.

« Présence » ne désigne rien d'autre que le fait d'être (entia*), là, c'est-à-dire devant* (prae*), là-devant. En tant qu'être là, elle engage sans s'y confondre tout le registre de la phénoménalité, de l'apparaître, l'*ex *de l'*ex-ister*. C'est-à-dire la théâtralité même du théâtre, la scénicité de la scène*[8]*, ce qui fait de la scène cet espace particulier de la manifestation au devant d'un lieu de perception et de réception. En ce sens, la présence est la facialité même du jeu, dans l'acception que nous explorons ici. Non que l'autre dimension (celle du profil) soit privée d'apparaître ou de phénoménalité, mais la phénoménalité ou l'apparaître ne s'y joue pas sur ce mode élémentaire, apriorique, nu*[9]*. La présence, c'est cette nudité même de l'acte de manifester, sur la scène et grâce à elle. Par là, elle ne se confond pas avec un jeu adressé, « envoyé à la salle », et moins encore cabotin – en un sens même elle échappe à son ressort. Chacun le sait, tout acteur l'éprouve, la présence est tissée d'au moins autant de réserve, de retenue, de sobriété ou de discrétion que d'exubérance et de projection vers l'assistance. Les anecdotes fourmillent parmi les acteurs, sur celui ou celle qui n'a presque rien à dire, rien à faire, apparaissant au second plan, dans un rôle mineur, et* on ne voit que lui, *ou*

---

8. *Cf.* D.G., *Lettre au directeur du théâtre*, Cahiers de l'Égaré, 1996, pp. 14 *sq.*

9. Le phénomène engage sans doute lui-même les deux dimensions dont on cherche ici à esquisser l'écart. L'apparaître du phénomène se joue comme forme (dessin, structure perceptible) *et comme présence* de cette forme, comme apparaître de l'apparition. En ce sens, la « forme » – la figure, l'image – c'est l'apparition, mais considérée de façon relativement autonome par rapport à son apparaître, à sa présence. L'image apparaît nécessairement, et pourtant, dans son être-image, elle se pose comme en réserve, en retrait de son apparaître comme tel. Il y a donc ici comme une chaîne des réductions, des retraits : la présence, adresse retirée. Puis l'image, présence elle-même en retrait. À chaque étape, ou étage, il reste au bout du retrait comme une trace de ce qui s'est rétracté, dans une valeur plus ténue, amincie – mais inexpugnable.

qu'elle. Parce qu'il a « de la présence », précisément, devant laquelle s'épuise le gesticulateur ou le cabot qui s'échine à tirer l'attention. On le rapporte aussi des animaux : un acteur, si brillant soit-il, peut toujours « ramer » en scène à côté d'une poule ou d'un mouton, à plus forte raison en train de déféquer sans prévenir. La présence, ce n'est donc pas l'adresse, ou plutôt c'est une manifestation très singulière et énigmatique de ce dont l'adresse fournit la formule la plus claire : cette ouverture à la salle, cette grande béance du trou qu'est le côté de la scène devant l'auditoire. La présence est ce qui reste de l'orientation du plateau quand l'adresse se rétracte. C'est l'adresse pure, épurée de son intention. La machine de scène sans machination, le dispositif dans sa fonction nue, le nu de la scène, son exercice libre. La présence, c'est la dimension de phénoménalité de la scène, ce qui fait de la scène un lieu privilégié de l'apparaître comme tel, une expérience sur la manifestation.

Si la présence réduit *ainsi la dimension faciale du jeu à cette sorte d'a priori élémentaire qui en vérité résulte du procès de rétraction de l'adresse* [10]*, que devient, dans une économie ainsi modifiée, le jeu de profil ? Car dans le théâtre de l'adresse directe, explicite (populaire et comique, le plus souvent, ou épique, au sens brechtien), le profil est, nous l'avons dit, l'instance d'extraction – d'émergence et de constitution – de l'*image*. L'adresse nécessite et appelle son propre suspens, où émerge, du dedans du récit, une fonction de* présentation, *une sorte d'hypotypose pratique, physique. Les conteurs connaissent bien cela. L'interpellation du public doit s'éclipser un moment, se taire ou se recueillir, pour que lèvent des figures – comme les morts sur la terre des combats. Lorsque le narrateur use de son propre corps pour figurer ce qu'il évoque, c'est alors la nécessité du* profil *qui s'impose. Même les rock-stars basculent le visage (et le corps) sur le profil dans des silences du chant. Pour faire image – entre*

---

10. Si la présence fait figure d'origine ou d'a priori de l'adresse, elle ne la précède pas. Elle résulte au contraire du procès de sa rétraction. Ici comme ailleurs, le principe est produit, l'origine est un résultat.

autres motifs. Mais quelle fonction au profil dans un théâtre plus dramatisé, où l'adresse a été comme suspendue, réservée ? Suggérons une hypothèse. Lorsque l'énergie de l'adresse n'est plus directement jetée à la salle, elle se trouve comme détournée, telle un fleuve, capturée, reversée sur la scène. Comparons le jeu à une sorte de force. Une force s'applique à quelque chose, ou sur quelque chose. L'adresse est la force appliquée à cet élément que constitue l'auditoire. C'est une force lancée vers la salle, et comme une force ne se montre force que si elle agit sur un point d'application, l'adresse est cette force appliquée à l'assistance. *Le jeu de profil est cette force même, détournée du public pour se porter vers un point d'application situé sur la scène. Par exemple : sur un partenaire, actuel ou virtuel. Il se pourrait alors que le processus se développe comme suit. Le partenaire, réel ou supposé, jouit en scène d'un statut équivalent : il est, lui aussi, le point d'émission d'une force possible, attendue, disponible. C'est ce qui en fait un partenaire, plutôt qu'un meuble ou une toile peinte. Force de résistance ou de réaction, force amplificatrice ou contradictoire, la force contenue dans le partenaire est apte à répondre ou se combiner à la force initiale qu'elle aura reçue, elle peut la contenir, la dévier ou l'amplifier. Cette force initiale, émanant de A, et qui s'oriente vers le point où elle rencontrera une autre force possible, c'est la figure physique d'une* action. *Agir c'est – métaphoriquement au moins – libérer une énergie qui s'applique sur un point où elle rencontre une autre énergie, concomitante, divergente ou contraire. C'est pourquoi l'*action *scénique se déploie dans la dimension du profil : il faut un second point (A', si l'on veut), co-présent au premier dans la latéralité de la scène, et qui reçoive la force de son agir. À la condition de ne pas oublier que cette action, ainsi posée, est en fait, dans l'économie transcendantale du spectacle, essentiellement* fictive : *car l'adresse originaire est bien celle qui s'oriente vers la salle, toujours et dans tous les cas. C'est fictivement que l'énergie scénique se tourne vers elle-même : l'énergie qu'elle déploie ainsi est l'*énergie de la fiction *– qui n'est pas rien. En fait, elle n'est que de l'énergie frontale* détournée. *L'action est un leurre, une fiction,* *un mythe de convenance : parce que l'acteur n'agit jamais que secondairement sur son côté, sur le plan latéral de la scène, il agit foncièrement vers la salle, et ne se tourne vers la scène que par l'effet d'éclipse de la salle dans lequel une certaine économie dramatique se trouve contrainte.*

Telle pourrait être la nature de nos deux fonctions et orientations du jeu : une dimension de face, *faite d'adresse, éventuellement contractée en présence. Et une dimension de profil, faite d'image éventuellement fictionnée (figurée) comme action. Dans le théâtre comique et populaire : adresse et image. Dans le drame : présence et action.*

*

Présence et action – attelage composite. On voit bien ce qui fonde leur disparité : la présence, nous l'avons dit, est de l'ordre de l'être (entia) *cependant que l'action, évidemment, ressortit au régime de l'acte. L'analyse d'un rapport entre présence et action implique donc une présupposition sur la nature du lien, ou du discord, entre l'acte et l'être. Et pourtant la tendance, sinon la tentation, fréquemment observable, porte à relier, voire à identifier les deux termes. Donnons-en deux exemples.*

Tendance à considérer l'action comme une présence, d'abord. Henri Gouhier ouvre sa célèbre Essence du théâtre *par un chapitre intitulé « La présence ». La thèse en est posée dès le premier sous-chapitre, intitulé aussi « La présence », où l'on peut lire : « Représenter, c'est rendre présent par des présences »*[11]*. Et un peu plus loin :*

> « Grâce de la présence... Grâce de la divination et non grâce de lumière, secours du directeur de conscience, fine pointe du diagnostic médical, force des vrais chefs. La capter, tel est le miracle du portrait ; en jouer, tel est le secret du conférencier ; la vouloir au principe d'un art, telle est l'essence du théâtre.[12] »

---

11. H. Gouhier, *L'Essence du théâtre* [1943], rééd. Aubier-Montaigne 1968, p. 18. L'ouvrage est désormais disponible en collection de poche, aux éditions Vrin.

12. *Ibid.*, p. 20.

On passera pudiquement sur le « secours du directeur de conscience », et plus encore sur la « force des vrais chefs », pour un ouvrage publié en 1943. On ne s'attardera pas non plus sur la formule « la vouloir au principe d'un art », où l'introduction de la volonté ne semble ressortir à aucun dispositif conceptuel précis, dont on trouverait plus loin l'explicitation : il s'agit plutôt là d'une élégance de style. L'essentiel est que le chapitre pose une équivalence entre l'essence du théâtre et l'instauration d'une certaine modalité de présence. Comment cette équivalence est-elle introduite ? Dès les premières lignes, Gouhier se réfère à la Poétique *d'Aristote, selon laquelle tragédie et comédie ont pour caractéristique de convoquer des personnages « comme agissant, comme en acte ». Et il ajoute : « L'"imitation" d'un homme* en train d'agir *ne peut être qu'une représentation, c'est-à-dire une action rendue* présente.[13] *»* L'opération est très nette : le théâtre, à la différence du récit épique, montre des « agissants ». Ce qui veut dire qu'ils sont là, qu'ils agissent devant nous, et donc, en ce sens, qu'ils nous sont* présents. *Le facteur classique de différence entre théâtre et épopée (le fait que les « personnages » agissent, et que leurs actions ne sont pas rapportées par un tiers au moyen d'un récit) est donc ici posé comme strictement équivalent à leur* présence. *L'action des agissants, c'est leur être-présent sur scène.*

Or, de façon plus générale, indépendamment de la question de la scène, considérer l'action comme présence fait surgir à mes yeux de notables présupposés. Si agir, *c'est présenter, l'action n'est au fond rien d'autre qu'un dévoilement. Agir consiste à faire apparaître ce qui était latent ou caché, à le manifester au devant (*prae*) comme son être (*entia*). L'action se pense comme manifestation de ce qui est. Rien n'arrive, au sens strict : aucun engendrement, aucune naissance, aucun advenir sinon l'émergence de ce qui était déjà, inapparent. Toute nouveauté n'est que de découvrement. Toute pro-duction ne s'entend, par réduction étymologique brutale, que comme conduite au dehors de ce qui se tenait replié dedans. L'évé-*

---

13. *Ibid.* pp. 15-16. *Poétique* 1448 a, 23-24. Je souligne.

nement n'est que dé-cèlement. Et donc, pour ce qui concerne le théâtre, sur scène il ne se passe jamais rien, en vérité. La scène ne fait que montrer : rien n'y arrive. Ou seulement une ré-vélation, aucune action, aucune pratique. Rien ne se fait jamais sur scène sinon des images : faire, c'est faire apparaître, comme l'illusionniste. Tenir l'action pour une présence, c'est réduire la scène à un espace de pure phénoménalité – de monstration, d'être-là. Lieu pour être, et montrer l'être. Aucun devenir, ni pratique, ni faire. Le drame n'est rien d'autre que cela : l'exposition, éventuellement progressive, que quelque chose, ou quelqu'un, se tient là, devant.

Sur un mode exactement symétrique, se manifeste le désir de considérer la présence comme une action. Prenons pour exemple le goût très vif que Claudel déclarait avoir pour l'expression faire acte de présence[14]. *Ou telle formule de Jean-Luc Nancy, se demandant ce que serait une présence qui ne soit pas un acte[15]. Cette propension appelle l'examen. Que veut-elle dire ? On peut l'entendre en deux sens, ou selon deux accentuations, distincts. En premier lieu, comme une détermination générale de l'être : l'être est acte, l'être de l'être se tient tout entier dans son* actualité, *il n'y a aucune substantialité, aucune supposition préalable ou fondatrice qui supporte l'acte et le précède. Cette approche, qui ne manque pas de séduction, soulève de multiples problèmes : celui de savoir, par exemple, si cette actualité intégrale, cet acte généralisé renvoie à un (ou à des) agent(s) : non pas à un sujet (une substance, une supposition préalable), mais à un agent, un actant qui de cet actualité serait l'opérateur – et lequel. Qui fait* acte de présence *dans l'être ? Mais laissons cela. Disons plutôt que si tout l'être est acte, la présence l'est donc, sans*

---

14. Armelle de Vismes, qui prépare en Sorbonne une thèse sur Claudel, m'a fait découvrir l'usage claudélien de cette étonnante expression, à laquelle elle attribue légitimement une grande valeur. *Cf.* par exemple *Art poétique*, coll. *Poésie*/Gallimard (2002), p. 111, ou « Introduction à la peinture hollandaise », in *L'œil écoute*, Folio-Gallimard (2003), p. 27.

15. En Sorbonne, le 24 mars 2004 (dialogue avec Philippe Lacoue-Labarthe dans le cadre du colloque *Dialoguer, un nouveau partage des voix*, organisé par l'Institut d'Études Théâtrales de Paris-III Sorbonne nouvelle). Je cite de mémoire.

aucun doute – mais elle l'est en tant qu'être *(entia). Ce qui fait bien de la présence un acte, mais dissout toute singularité de la présence dans le champ de l'être, et toute signification distinctive du concept, toute valeur du* prae. *Ou bien, c'est la seconde possibilité, la présence est bien un acte mais dont l'actualité engage au contraire le* prae *comme tel, c'est l'acte d'être devant, ou d'être en avant, et l'acte consiste alors dans cette avancée de l'être, ce devancement, cette ex-position de l'ex-istant. C'est l'acte, non seulement d'être, mais d'être pré-*sent. *Dans ce cas, quelle est sa nature ? Comment comprendre l'actualité qui consiste ainsi à se présenter, à se devancer ou s'avancer au devant de son être, à s'excéder ou s'exposer vers l'avant de soi ? Je vois là une logique qui conduit dans les parages de l'incarnation. La présence est un acte d'incarna-tion – de quelque chose ou de quelqu'un qui s'avance ainsi dans la présentation. Il faut un agent ou même un sujet à cet acte, à cette activité. Concevoir la présence scénique comme un acte mène alors, me semble-t-il, à résorber l'existence scénique dans le devenir d'un sujet. Un hors-scène s'expose en scène, y entre et s'y manifeste. On n'est pas tenu de céder à cette inclination épiphanique. Il n'est pas certain qu'il faille penser la présence (la dimension frontale d'existence en scène, quand l'adresse s'est retirée) comme un acte encore. Peut-être le seul acte scénique possible, dans la dimension de la face, reste l'adresse précisément. Si l'adresse se retire, quelque chose subsiste, qui n'est pas rien : un dépôt, une persistance,* mais qui n'est pas un acte, *sinon dans le mirage des machi-nations d'un dieu personnel, actif parce que caché. Peut-être faut-il plutôt y chercher un avatar de ce que Valère Novarina théorise comme* désaction[16]. *Quand s'enfuit l'adresse, c'est la désaction qui travaille, y compris au sens vivement positif que Novarina lui donne. Car, hors l'adresse, dans l'espace scé-nique que* constitue *le retrait de l'adresse, une face active ne*

---

16. *Cf.* « Le débat avec l'espace », dans *Devant la parole*, P.O.L. 1999, et en particulier p. 83 – mais la formule ne se comprend qu'en rapport avec tout le texte, ou tout le volume. Ou *Pour Louis de Funès*, désormais in *Le Théâtre des paroles*, P.O.L. 1989 (2000), pp. 126,135. *Cf.* ci-dessous, pp. 139 *sq.*

peut être que l'acte d'un extra-scénique, metteur en scène ou auteur, Dieu ou démiurge. Pour les acteurs, la présence n'est pas un acte : plutôt un abandon, un laisser-être, une livraison.

Ces deux attraits symétriques procèdent sans doute du penchant à réduire l'hétérogénéité entre présence et action, adresse et image, face et profil. Alors que le jeu de la scène (et l'énigme de son dispositif étrange) consiste à les faire jouer l'une avec, ou contre, l'autre. Tenir l'action pour une présence (l'activité scénique pour un dévoilement) ou la présence pour une action (l'entrée en scène pour l'épiphanie d'un outre-monde), c'est dé-constituer la scène comme telle, écraser son statut au bénéfice de celui d'un présentoir ou d'un autel. La scène est ce dégagement d'espace où l'acte vient se prendre au jeu de la présence, et la présence se désenvoûter dans la pratique. Sur toute scène, vit une double fonction de phénoménalité (régime de l'apparaître, de la manifestation) et d'agir (ordre du faire, de la praticabilité). Cette bi-dimensionnalité fait le système propre de l'existence scénique. Certains usages du théâtre relèvent l'une au détriment de l'autre : scène-phénomène, scène manifestation (Wilson, parfois Kantor) ou scène-faire, scène pratique (Grotowski, Brook). Mais le théâtre se dissout comme théâtre s'il nie ou efface cette différence des axes. La scène est le lieu d'un phénomène, et d'un acte. D'un apparaître, et d'une praxis. Scène-image, et scène-faire. Il lui faut une face, et un profil.

*

Les textes ici rassemblés ont été écrits ou prononcés entre 1999 et 2004, en diverses circonstances, rappelées pp. 218-219. Mais, à travers leur diversité d'occasion, s'est exprimé le travail progressif du problème dont je viens de proposer une structure d'ensemble. C'est pourquoi ils sont distribués en deux rubriques, qui correspondent aux deux ressources de la scène ainsi explorées : les essais réunis dans la première partie examinent la question de l'action, du drame – et donc, au sens ci-dessus, de l'existence scénique de profil. *Ceux de la seconde partie interrogent plutôt l'adresse, la frontalité de la scène – sa face. Dans la première partie, on pourra lire six écrits, étapes successives d'un débroussaillement du problème de l'action dramatique. Le lecteur suivra, s'il le veut, le tracé de ce chemin. D'une question, formulée assez naïvement (« Objection au retour »), à la position d'un concept articulé du drame, s'expose la formation progressive d'un corps d'hypothèses, ici soumises à la discussion. La seconde partie s'occupe plutôt de questions ressortissant à la frontalité de la scène et du jeu. Le lien qui en unit les textes est moins tendu. Mais j'ai cru bienvenu, et peut-être utile, de présenter les données d'une réflexion d'ensemble, dont je ne saurais assez dire ce qu'elle doit à la tenue hebdomadaire du séminaire* Théâtre et philosophie *que j'ai eu la chance d'animer, d'abord à l'Institut d'Études Théâtrales de Paris-III Sorbonne nouvelle, et depuis 2000 à l'Université de Paris-Sorbonne (Paris IV, UFR de Littératures française et comparées). Les étudiants qui m'ont fait le plaisir, l'honneur et souvent la grâce d'accompagner ces réflexions de leur écoute et de leurs interventions sont les protagonistes latents mais actifs de cette recherche. C'est pourquoi j'ai conclu le volume par la reprise d'un cours (« Le Théorème de Jouvet »), qui renoue l'affaire de la présence à celle de l'action, mais qui rappelle aussi les conditions dans lesquelles cette construction fut un plaisir constant, presque jamais démenti, chaque semaine.*

Avril 2004

I

Idées du drame

OBJECTION AU RETOUR

Tentons de formuler[1] trois questions qui se posent, parmi d'autres, à l'écriture dramatique aujourd'hui.

1. La première : écrire après la fin de la crise du drame. La crise du drame était engagée depuis longtemps : au moins depuis l'époque romantique et, plus visiblement, depuis un siècle – Szondi a détaillé cela[2]. Elle avait secoué la forme *dramatique* de l'écriture théâtrale avec une brutalité croissante. Ce processus critique a atteint son point extrême dans les années cinquante ou soixante, avec sa plus grande radicalité chez Beckett (c'est au moins ce qui semble à un regard d'aujourd'hui). Notre question serait alors : comment écrire après Beckett ?

(Parenthèse. La forme de ce problème évoque, volontairement, la célèbre question d'Adorno – beaucoup citée, et déformée, abêtie, rarement *entendue* : est-il encore possible d'écrire de la poésie après Auschwitz[3] ? Or, si le rapprochement n'est

---

1. Très sommairement et provisoirement, on va le voir. L'ensemble des textes réunis dans la première partie du présent ouvrage se donne pour but de rectifier, préciser et approfondir ces formulations.

2. P. Szondi, *Théorie du drame moderne* [1956], L'Âge d'Homme, 1983.

3. Citation d'ailleurs approximative. *Cf.* T. W. Adorno, *Prismes*, Payot 2003, p. 26.

pas fortuit – parce que Beckett écrit en effet après Auschwitz, après Hiroshima, et que *cela se voit, cela s'entend* – le problème n'est cependant pas tout à fait le même. Je ne demande pas ici s'il est possible d'écrire après Beckett : c'est possible, puisque qu'on écrit, des milliers d'œuvres, dont certaines très fortes, Bernhard, Koltès et d'autres. Le problème est : *comment* est conduite cette écriture ? À quelles questions doit-elle répondre, que « Beckett », pour ainsi désigner son temps et son geste, lui a léguées, posées, adressées, et auxquelles elle ne peut se dérober sous peine de manquer à sa situation fondamentale, à son histoire ? Aucune impuissance là-dessous : seulement un problème, des conditions, une situation de l'écriture aujourd'hui.)

Trois exemples de comportements (de réponses) possibles. D'abord, la Restauration. On veut revenir à l'état de choses antérieur, annuler cette erreur qu'a été le théâtre contemporain. Il s'agit alors d'écrire de « bonnes pièces », de bons drames – bonnes situations, bons personnages, belle langue, et c'est réglé. À supposer que la chose soit possible : à supposer qu'aucune Restauration ait jamais été possible, au-delà des apparences. La France de Louis XVIII n'est pas celle de Louis XVI. La Restauration est un slogan (qui n'est pas sans effets), plus qu'un instrument d'analyse. Deuxième hypothèse : on tient la crise pour irréversible, et on considère *ce qui reste* après elle, ce qu'elle a laissé sur le champ de sa déflagration. Par exemple, on peut dire : défait le drame, *reste la langue* – et travailler sur une poéticité démembrée, générale. Ce qui fut peut-être l'hypothèse de Novarina à ses débuts. Exposer une théâtralité nue, somptueuse et ruinée, de la langue, après que le drame a été *soufflé*. Troisième réponse : par un patient travail d'excavation, de fouille méticuleuse et analytique, on dégage des noyaux de dramaticité absolue, insécables, des atomes de drame qui ont tenu, et nous défient par leur insolente stabilité : hypothèse de Koltès, au moins celui des *Champs de coton*. De Bernhard aussi parfois : dramaticules, dramuscules sans faille, dispersés dans le champ désolé de la vie. Drames purs, mais nucléiques. Segments de vies minuscules.

Un cas particulier, où se condense le problème. Faut-il écrire des personnages ? Comme si de rien n'était, comme si elle n'avait pas eu lieu, cette *crise du personnage* qu'Abirached a racontée, et analysée, dans son détail[4] ? Ou bien : est-ce fini ? Et n'écrit-on plus jamais des personnages, même quand on croit le faire, même si on met un nom sur un rôle ? Serait-ce, par exemple, qu'on n'écrit plus jamais *que des partitions d'acteurs*, des canevas verbaux pour corps improvistes, corps impromptus et entraînés ? À supposer, comme j'ai tenté de le dire ailleurs, que l'acteur soit ce qui reste, orphelin et libre, quand le personnage a filé[5], serait-il vrai que l'écriture d'aujourd'hui n'a jamais affaire qu'à ce point neuf et cru, l'activité déshabillée de l'acteur sur la scène, l'auto-présentation défictionnée du *jeu* ?

2. Un deuxième problème posé à nos textes concerne leur *capacité représentative*. Car ce qui dans les décennies récentes a été mis en doute, quant au théâtre, c'est bien son aptitude à représenter. Soit qu'on le considère comme non habilité, non habile, décidément mal équipé et maladroit au regard de la représentation, soit qu'en fait (c'est parfois la même chose, mais alors clairement portée à son crédit), on suppose qu'il n'en veuille plus, de la représentation, qu'il la récuse et la condamne, et se fasse le héraut de sa déposition. Théâtre non-représentatif, parfois tenu pour équivalent du théâtre tout court, voilà le grand héritier, le légataire de la crise. Théâtre de l'acte de jouer, de la présentation à vif, de la mise en jeu du théâtre lui-même. Théâtre qui se déprend des artifices et de la sorcellerie, théâtre antimagique (anti-mage et ant-image, rétif aux mages et aux images), théâtre de la lucidité, du plaisir de la pensée comme du sensible, mais désaffecté de son irréalité, de ses mirages – et de son impuissance aussi.

Théâtre, donc, qui réclame comme sa prérogative, sa responsabilité foncière, le fait d'interroger, de suspecter tout rap-

---

4. R. Abirached, *La crise du personnage dans le théâtre moderne* [1975], Tel-Gallimard.
5. D.G., *Le Théâtre est-il nécessaire ?*, Circé, 1997.

port naïf aux idoles, et donc toute prétention à convoquer le réel et à le montrer, tel qu'en lui-même, sur la scène. Cet acquis, ce salutaire bénéfice de la crise est lui aussi guetté par les appétits de Restauration, qui ne logent pas toujours aux enseignes attendues. On peut ainsi faire l'hypothèse que le goût immodéré, non-critique, de la violence sur scène, est un désir de *garantir la capacité représentative du théâtre*, de garantir l'effet de réel, de protéger le théâtre contre la critique (contre la crise) de la représentation. Et, accessoirement, de garantir ainsi un rapport ingénu au social, puisque celui-ci, c'est bien connu, est par essence violent (aucun doute : les médias nous le répètent, donc c'est vrai.[6]) On pourrait alors voir dans l'appel à la violence (« sauvage », « insoutenable », « nue », comme ils disent), l'expression d'un vif désir de *dénégation* de la crise du théâtre. Le théâtre va bien, allez, puisqu'il peut être insoutenable. Retour du refoulé : qui dispense d'interroger, peut-être, cette violence profonde *qu'est la représentation elle même,* la violence du rapport représentatif, ainsi exonéré.

3. Troisième problème : écrire après l'épuisement de la mise en scène.

Ici encore, il faut se prémunir contre les lectures simplistes (et les objections plates) : bien sûr, de la mise en scène, il y en a encore, beaucoup, et aussi de la bonne, etc. Et il en faut, etc. Épuisement ne veut pas dire extinction : beaucoup de choses épuisées perdurent, voire prolifèrent. Citons encore Rousseau : « ce qui brille est sur son déclin »[7]. Il est pourtant assuré que les années soixante et soixante-dix ont été une période d'extrême inventivité théâtrale, et que le lieu de cette fécondité n'a pas été l'écriture dramatique, mais la recherche scénique. Bien sûr, il y eut des auteurs, etc. Mais les « révolutions scéniques » de ces deux décennies ont eu lieu sur la

---

6. *Cf.* ci-dessous, « D'une attente transmise en scène », pp. 71 *sq.* Sur la question de la figuration de la violence en général, je me permets de renvoyer au chapitre « Violences dans la culture », dans *Après la révolution*, Belin 2003, pp. 81 *sq.*
7. *Émile*, III, Seuil « L'intégrale » III, p. 138, note.

scène plus que sur la page. Or, ce n'était pas le cas peu avant (l'après-guerre et les années cinquante, floraison d'écriture), et cela cessera peu après. Cette période se singularisa *entre* Beckett et Koltès. Dans notre théâtre, la mise en scène hérite de ce tintamarre, de ces trouvailles : par son statut, ses pouvoirs, son régime, et une bonne part de son discours. Elle clame sa légitimité en s'affirmant dépositaire de ces trésors. Mais cette phase d'invention est close. La mise en scène s'est épuisée, tassée sur son socle, affaissée sur soi. Sans bruit, sans fracas : par exténuation, évacuation intérieure, automimétisme déshabité.

Ecrire *après* cela ne peut être ni écrire comme avant (revenir au tête à tête de l'auteur et de l'acteur, du beau texte bien proféré par un vrai comédien), ni écrire en attendant le retour, la revenue, le regain de la mise en scène. *Après* suppose qu'on assume que quelque chose a eu lieu, et a cessé. Quels sont les champs ouverts par cette traversée ? Ils sont divers, chacun reconnaît le sien. Abolition des genres et croisement des arts ; constitution d'un objet scénique global, où le texte vaut comme scénario, comme partition ; pliage dans l'écrit des distances interprétatives. Dans tous les cas, il s'agit d'une écriture soucieuse de son rapport au dehors, de son engagement dans l'autre, le corps, le jeu, la scène, la bienfaisante babélisation des langues. L'anti-idiome du théâtre demande (qu'il l'incorpore ou l'appelle) son altération, son frelatement, son expatriation hors des terres anciennes du drame. Si le temps était au slogan, le sien serait : non au retour. (À la première indication scénique, on décèle si un texte engage une idée du théâtre, et donc du monde, fondamentaliste et rétromaniaque, ou se soucie du temps qui vient.) Mais le temps n'est plus au slogan, ni au retour des slogans.

Printemps 1999

ENTRE POÉSIE ET PRATIQUE

« Du drame entre poésie et pratique »[1] : ce titre fait d'abord référence à une observation courante. Admettons, provisoirement, que le mot « drame » désigne ici l'écriture théâtrale dans sa généralité, tout texte destiné à la présentation scénique[2] : ce qu'ont en commun la comédie et la tragédie, ce noyau ou foyer de dramaticité qui les fait reconnaître l'une et l'autre, malgré leurs différences, comme conçues et préméditées en vue de la mise en jeu, ou de la mise en scène. Il est alors banal de penser que le drame – l'écriture théâtrale – se situe comme à égale distance entre deux activités voisines et qui pourtant s'en distinguent fortement. La première est la poésie, pure, l'acte d'écrire en vue de la page ou du livre. Même si cette distinction est passible de soupçon[3], le drame instaure dans le poème en général une différence spécifique. Redisons-la, en suivant Platon, par exemple[4]. Un drame est caractérisé par ceci que la parole y est attribuée à des personnages, c'est-à-dire à des figures du discours qui semblent parler en leur propre nom, être les auteurs de leurs mots. Or, ils ne le sont pas : puisque

---

1. Titre initial de cette conférence. Voir ci-dessous p. 218.
2. De la même manière qu'on appelle « auteur dramatique » celui qui les écrit.
3. Puisque la définition *littéraire* de la poésie, et même simplement sa forme écrite, ne l'accompagnent pas toujours, et résultent d'une histoire.
4. *République*. III, 392d-394d.

derrière eux, c'est en vérité le poète qui parle. Le drame est donc ce poème qui fait taire la voix du poète, au moins en apparence. C'est le poème dont le poète est exclu, dans lequel sa parole est élidée – selon l'apparence, dans le régime de l'apparaître[5]. Le drame est bien, comme on le pense souvent, marqué par la pluralité des voix, mais il faudrait dire pour être précis qu'il se caractérise par cette *multiplicité sauf une*. Il est ce poème de la voix interdite : celle du poète, soutenue en son nom. Et l'interdit fonctionne encore, puisque au théâtre, si l'expression subjective de l'auteur est autorisée, voire depuis peu requise, il est convenable qu'elle se masque sous un autre visage, dans la figure d'un rôle – même chez Koltès, ou Sarah Kane. Si auto-expressive que soient leurs écritures, ils n'y prennent pas la parole en leur nom. Même lorsque Bernhard fait paraître en scène un Bernhard, c'est *en tant que personnage*, et non comme ce Bernhard *scriptor* qui écrit là ce qu'il écrit[6]. Tout autre est la voix lyrique, ancienne ou moderne, où même sous le masque du moi, c'est le poète qui prétend à se faire entendre, qui dit *je*. On connaît de notables exceptions, mais cet interdit reste dominant. C'est l'expérience ordinaire : un écart, net, sépare le fait d'écrire pour la scène et l'ouvrage commun du poète, même en prose – Claudel, passant du poème au drame, ou Bernhard, de la prose au théâtre, changent visiblement de régime poétique, de forme de poétisation.

L'autre action, à distance de laquelle se tient l'écriture de théâtre est l'action scénique, au sens strict. C'est-à-dire l'existence concrète, agissante, des acteurs sur la scène, ou encore ce que nous nommons, depuis moins longtemps qu'il n'y paraît, « le théâtre » : le fait de jouer, les comportements concrets et pratiques dans et pendant la représentation. Ce qui nous apparaît comme la pratique du théâtre[7]. Or la fabrication

---

5. *Cf.* D.G., « Dialogue coupé », dans *L'Exhibition des mots*, Circé-Poche, 1998, pp. 136 *sq.*

6. *Cf. Claus Peymann s'achète un pantalon et va déjeuner avec moi*, in *Dramuscules*, l'Arche 1991.

7. En un sens tout différent de celui dont se réclamait d'Aubignac, qui dans *La Pratique du théâtre* (1657) n'entendait traiter que du poème dramatique, et de ses principes de composition.

du drame – la dramaturgie au sens propre, l'ouvrage, l'œuvre, l'*ergon* de la dramatisation – diffère beaucoup de cette praxis théâtrale. C'est de longue date : Aristote affirmait déjà que l'*opsis* (la mise en scène, l'existence optique ou scénique de la tragédie) est hors de l'art, *atekhnotaton*, et ressortit seulement au savoir-faire du fabricant d'accessoires (*skénopoiou tekhnè*)[8]. Cette discrimination tranchée produisait alors d'autres effets qu'aujourd'hui, puisque Aristote s'autorise de cette brève remarque pour ne pas parler de poésie scénique, alors que nous en parlons beaucoup – pendant deux décennies nous n'avons presque parlé que de cela. Reste la distinction, l'écart : la mise en scène, la régie des planches sont autre chose que la facture du drame, et participent d'un savoir-faire essentiellement différent du sien.

À première vue, on peut donc dire que le drame se loge entre poésie et pratique. Remarquons, toujours sur ce premier plan, une autre dimension de cette triade. La disjonction entre l'écriture du poème et la pratique du théâtre oppose aussi, pour nous, une activité individuelle, solitaire, et une conduite de groupe. Le poète écrit seul : il est aux prises avec son « monde », avec son âme, si ce n'est plus avec sa muse. Son travail est intime, il touche à l'agitation intérieure, au forage des terres du dedans. Nous ne croyons pas à l'écriture coopérative, au théâtre au moins[9]. Si certains dramaturges cosignent des pièces, c'est au plus à deux. Et alors, l'un est plus écrivain que l'autre : Labiche et Marc-Michel. Bref, le poème sort d'une âme singulière, qu'il exprime, ou qui l'exprime. La scène, elle, est affaire de troupe. Le théâtre engage le concours de plusieurs métiers : acteurs ; couturiers, tapissiers, serruriers ; éclaireurs, bruiteurs, régisseurs ; peintres, musiciens – et poète aussi. Si le spectacle a une consistance subjective, personnelle, ce qui se discute, elle est obtenue par la direction d'une de ces âmes sur toutes les autres. Le metteur en scène n'est jamais seul : au mieux (si c'est un mieux) il ordonne, commande, décide entre toutes ces singularités. Mais le théâtre,

---

8. *Poétique*, VI, 1450 b 16-21.
9. Pour le cinéma, ce serait à débattre.

ainsi entendu, comme la scène, le domaine de l'existence scénique, de la présentation, est une vie partagée. Politique intime de la chose théâtrale, avec son régime d'assemblées, de délibérations, de décisions monarchiques ou communes, avec sa variable constitution.

*

C'est cette ambivalence peut-être, du drame entre pratique et poésie, qu'exprime la locution *poème dramatique*, dont les classiques ont tant usé. Sa constitution logique est clairement exposée par Mairet dans la préface de *La Silvanire*. Jouée en 1630, et tenue pour la première à avoir strictement mis en œuvre le canon qui allait bientôt s'établir, la pièce fut publiée un an plus tard, flanquée d'une préface en forme de manifeste pour l'art nouveau. Cet écrit présente une sorte de genèse raisonnée de l'idée de poème dramatique, où se succèdent trois moments liés. Premièrement, une définition de la poésie, qui, de façon d'abord surprenante, est une caractérisation du poète : non du discours, mais de son auteur, ou plutôt du discours que spécifie le fait d'être produit par un auteur comme celui-là. La première partie du texte s'appelle « Du poète, et de ses parties » : oui, des parties du poète, c'est-à-dire des éléments qui s'associent pour le composer, ou encore des « qualités qui doivent entrer en la composition d'un bon poète »[10]. Il y aurait beaucoup à dire sur ce marquage, où le poète n'apparaît pas comme exprimant quelque chose qui lui appartienne, mais comme bon véhicule pour la transmission de « pensées qui semblent ne pouvoir pas être produites du seul esprit humain », ce pour quoi il est « poussé d'une fureur divine »[11] – moins donc comme un moi dont le contenu transpire dans l'œuvre, que comme le bon conducteur d'une transmission qui le traverse. Mais, même si la conception ici diffère en partie de l'idée moderne ou post-romantique du poète, ces caractères,

---

10. *Théâtre du XVIIe siècle 1*, prés. et notes J. Scherer, La Pléiade-Gallimard, 1975, pp. 479-480.
11. *Ibid.*, p. 479.

et la place qu'ils prennent dans le discours, valident ce que nous indiquions : le poème est émis par une puissante singularité individuelle, il résulte d'une « excellence d'esprit »[12], d'une éminence qui distinguent le poète, ce poète, dans son être d'exception.

Le deuxième temps d'émergence de la notion de « poème dramatique » est celui qui, après la définition du poète, traite « De la différence des poèmes » – c'est le beau sous-titre d'une partie suivante de la préface[13]. Mairet y indique : « L'ouvrage dramatique, autrement dit actif, imitatif, ou représentatif, est celui-là qui représente les actions d'un sujet[14] par des personnes entreparlantes, *et où le poète ne parle jamais lui-même* »[15]. Ne revenons pas sur le silence imposé à l'auteur : silence que le poète s'impose, auto-imposition de silence où se marquent, dans le mode dramatique, l'excellence et la singularité de son esprit. Demandons-nous plutôt ce qui reste, dans la forme de cet entre-parlement qu'est le drame, de l'unicité, de la singularité de sa voix. En quoi le poème dramatique est-il un poème, précisément : c'est-à-dire l'œuvre d'un poète singulier ? Si la marque du poème est de faire sonner la voix unique du poète qui le profère, où est l'uni-vocalité du poème dramatique – l'unicité de sa voix émettrice, porteuse –, de ce poème dramatique que semble définir, par ailleurs, et contrairement à cela, le partage des voix[16] ? La réponse est *pour nous* manifeste. L'univocalité du poème dramatique est son tissu (ou, selon le mot classique, sa tissure) de poème. Ce qui fait sa facture, ou sa tissure, poétique, à la fois partagée avec le genre commun du poème, et marquée de propriétés sous-génériques, et de la singularité d'une voix, comme d'un timbre : la métrique, la prosodie, la rythmique, le lexique, la tonalité, le style, qui font le poétique du poème. Le poème dramatique, c'est ce qui fait d'*Andromaque* un long poème, un long ensemble

---

12. *Ibid., id.*
13. *Ibid.,* pp. 481-482.
14. Ce qui veut dire : du sujet d'une œuvre, d'un thème, d'une histoire choisie.
15. *Ibid., id.* Je souligne.
16. *Cf.* J.-L. Nancy, *Le Partage des voix*, Galilée, 1982.

compact d'alexandrins régis par des normes formelles précises et contraignantes, et qui s'appliquent tout uniment, comme voix commune, aux voix distinctes des rôles. Dans l'échange suivant :

PHOEDIME
>   Mithridate lui-même arrive dans le port.

MONIME
>   Mithridate !

XIPHARÈS
>   Mon père !

PHARNACE
>   Ah ! Que viens-je d'entendre !

PHOEDIME
>   Quelques vaisseaux légers sont venus nous l'apprendre,
>   C'est lui-même.[17]

les quatre personnages, les quatre voix, contribuent à la profération de deux alexandrins rimés. Monime, Xipharès et Pharnace enchaînent trois répliques qui font un vers, dans la précise structure métrique du temps, et Phoedime leur répond avec un autre alexandrin qui rime avec le précédent. Ces quatre répliques, émanant de quatre rôles, sont donc totalement prises dans la facture commune du poème. Ce qui pourrait n'être qu'une contrainte formelle de genre prend un sens plus profond si l'on admet que, du fait de la stylistique, de la poétique singulière du poète Racine, les vers qui ainsi s'enchaînent se logent dans le « chant » d'une même voix, celle du poème racinien. L'unité vocalique, poétique qui ainsi *se donne* comme partage peut par exemple, me semble-t-il, difficilement être contestée dans cet autre quatuor :

PYRRHUS
>   Où donc est la princesse ?
>   Ne m'avais-tu pas dit qu'elle était en ces lieux ?

PHOENIX
>   Je le croyais.

ANDROMAQUE, *à Céphise*
>   Tu vois le pouvoir de mes yeux !

---

17. *Mithridate*, I, IV, v. 330-333.

PYRRHUS

    Que dit-elle, Phoenix ?

ANDROMAQUE

                    Hélas ! Tout m'abandonne !

PHOENIX

    Allons, seigneur, marchons sur les pas d'Hermione.

CÉPHISE

    Qu'attendez-vous ? Rompez ce silence obstiné.

ANDROMAQUE

    Il a promis mon fils.

CÉPHISE

              Il ne l'a pas donné.

ANDROMAQUE

    Non, non, j'ai beau pleurer, sa mort est résolue.

PYRRHUS

    Daigne-t-elle sur nous tourner au moins la vue ?
    Quel orgueil !

ANDROMAQUE

          Je ne fais que l'irriter encor,
    Sortons.

PYRRHUS

        Allons aux Grecs livrer le fils d'Hector.

ANDROMAQUE, *se jetant aux pieds de Pyrrhus*

    Ah ! seigneur ! arrêtez ! Que prétendez-vous faire ?
    Si vous livrez le fils, livrez-leur donc la mère ![18]

Je disais : quatuor. C'est qu'en effet on peut comparer le tissu, la tissure dans lesquels sont prises les voix des rôles – l'univocalité racinienne du poème, où s'implique le pluriel des personnages – avec la partition musicale d'un opéra, ou d'une *Passion*. Les textes différencient les caractères, les personnalités, les effets de rôles. Plus : les voix mêmes y sont repérables, spécifiées (il faut dire, exactement : partagées, ne serait-ce que par la distribution des tessitures). Mais la continuité musicale de l'œuvre les prend communément dans une poétique, celle de Mozart, ou de Puccini, qui les traverse et les porte. Ainsi de la poétique racinienne : elle tient les rôles,

---

18. *Andromaque*, III, VI, v. 890-904.

c'est elle qui dit où est le poète qui parle, lui qui est interdit de distribution[19].

Le troisième temps de la genèse logique du concept de poème dramatique est celui de sa différenciation interne, de sa spécification ultérieure. « Le poème dramatique se divise ordinairement en tragédie et comédie », écrit Mairet[20]. Et c'est bien une des raisons de l'idée de *drame* : désigner ce qui est commun aux genres tragique et comique, ce que nous appelons aujourd'hui « le théâtre », et pourquoi certains Grecs de l'époque classique semblent curieusement manquer de nom. Voyez Platon, qui ne cesse de dire « tragédie et comédie », comme s'il ne disposait d'aucune catégorie pour les assembler[21]. Il est vrai qu'Aristote, lui, use du mot de drame, et réfléchit à son usage[22]. Cette différence s'explique assez bien, on va le voir, par la discorde de leurs conceptions quant à ce dont il s'agit. Aristote, en tout cas, semble bien avoir recours à ce vocable (drame), ou à ses dérivés, pour désigner la forme commune aux poèmes tragiques et comiques, par la présence en leur sein de personnages agissants (*drontas*), qui donne lieu à ce que certains traducteurs désignent, un peu librement, comme « forme dramatique »[23].

---

19. « L'auteur dramatique [...] est le premier, par ordre chronologique naturellement, des acteurs de sa troupe. [...] Personne ne joue mieux que lui ce rôle [...] : le rôle de l'acteur qui ne joue pas. » J. Giraudoux, « L'auteur au théâtre », in *Littérature*, [1941], Folio-Gallimard 1994, pp. 209-211. Merci à François Bon de m'avoir signalé ces pages.

20. *Op. cit.*, p. 482.

21. Par exemple : *République*, 394 c, ou 394d, ou 395 a, ou 395 b. Il emploie le terme (drame) ailleurs, mais à une autre fin, et de façon parcimonieuse. *Cf. Lois* VII, 817 b 9.

22. Par exemple, *Poét.* III, 1448 a 28-29. Ou encore (selon l'index de Dupont-Roc et Lallot, Seuil, 1980) : III, 48 a 28, 29, drames (*dramata*), personnages qui agissent (*drontas*) ; étymologie (*drân*, agir) ; IV, 48 b 35, 37, « forme dramatique » (*dramatikas, dramatopoiésas*) ; VI, 49 b 26, personnages en action (*drontan*) ; XIV 53 b 32, « en dehors de la pièce [ou : du drame] » (*exo tou dramatos*) ; XV, 54 b 3, « en dehors du drame [ou : de la pièce] » (*exo tou dramatos*) ; XVII, 55 b 15, « dans les drames les épisodes sont brefs, tandis que l'épopée leur doit son étendue » (*dramasin*) ; XVIII, 56 a 15, « dans les drames » (*dramasi*) ; XXIII, 59 a 19, « de façon dramatique » (*dramatikous*) ; XXIV, 60 a 31, « dans le drame » (*dramati*).

23. Un peu librement : le mot « forme » – chez Aristote d'une certaine portée – n'y est pas (IV, 48b 35-37, selon la traduction – dont les considérables mérites ne sont plus à vanter – référencée dans la note ci-dessus).

De sorte qu'on peut dire qu'ici encore le drame prend place entre poésie et pratique : entre l'unité de voix du poème et la pluralité de voix des agissants, mais aussi entre l'unité formelle du poème et sa division nécessaire en poème comique ou tragique : pendant longtemps, jusque bien après les classiques, on ne pourra jamais écrire aucun drame qui ne se résolve en tragédie ou comédie, on ne pourra pratiquer le théâtre sans s'être résolu à un terme de ce choix. Le drame paraît alors une catégorie médiane, presque fictive, incarnée dans aucune œuvre réelle, si ce n'est dans une de ses sous-divisions. Jusqu'à ce qu'un poète – ou plusieurs –, prosateurs en vérité, ne s'avisent de donner naissance et forme à des poèmes *répondant* à cette dénomination moyenne, et actualisent en quelque sorte le programme, ou la virtualité, qu'elle contenait sans les avoir jamais délivrés.

*

On ne saurait s'en tenir à ces remarques de fait, ni à ce tracé logique. Il faut maintenant observer que les deux notions (*poésie* et *pratique*) entre lesquelles se loge le drame sont deux concepts massifs, qui ont donné lieu, depuis Aristote au moins, à une longue histoire : à la réitération et au dépli d'un durable face-à-face, qui a opposé, mis aux prises *poiésis* et *praxis*. Rappelons les éléments de ce débat, reformulé avec beaucoup de profondeur par Jacques Taminiaux[24].

Poiésis et *praxis* sont deux opérations que tout distingue. La *poiésis* est la production d'un objet, d'une œuvre. C'est, par exemple, le travail mené par l'artisan lorsqu'il confectionne un produit selon les règles de son art. Pour Taminiaux, c'est ce modèle artisanal que Platon convoque pour penser le théâtre, et plus généralement les activités d'imitation, et pour les récuser – les accuser. En effet, l'artisan doit, pour fabriquer un objet, contempler une sorte de modèle. Ce modèle antérieur à l'exécution est une pure idéalité (un *eidos*), et l'acte de

---

24. Dans *Le Théâtre des philosophes* (éd. Jérôme Millon, Grenoble, 1995), en particulier pp. 7-68 – livre auquel la réflexion ici proposée doit beaucoup.

produire demande de le considérer, d'observer cette figure essentielle. Un tel regard est baptisé *theoria*. La *poiésis* exige le préalable d'une *theoria* qui lui livre la forme parfaite d'un intelligible, qu'elle ne doit jamais perdre de vue dans la production. Après quoi, la réalisation bien conduite de l'œuvre selon l'autorité de ce modèle fait appel à un corps de règles, à la structure d'un savoir-faire dénommé *tekhnè*. La *poiésis* est construite comme cet ensemble : une *tekhnè* qui engendre une œuvre conformément aux prescriptions d'une *theoria*. C'est en référence à cette norme, on le sait, que Platon dévalue toute imitation (peinture autant que théâtre), car l'imitation ne considère pas l'essence ou l'idéalité d'une chose, mais seulement son apparaître, et n'engage aucune *tekhnè*, mais une *mimèsis*. La poétique s'en distingue sans mélange : engendrement d'une œuvre, après vision d'une idée[25].

La *praxis*, elle, désigne une structure différente. Le concept n'en est pas élaboré par Platon, bien sûr, qui (dans cette partie de la *République* au moins) ne paraît pas s'en soucier, mais par Aristote, précisément dans sa confrontation avec lui. La *praxis* ne suit aucun modèle préalable, et n'engendre aucune œuvre. Elle trouve son principe et sa fin en elle-même. Elle n'est réglée par aucune idée qui la devance, et ne se dépose en aucun objet qui l'abolit et la relève. Elle est l'opération continuée d'un faire : à ce titre, elle n'a, au sens strict, ni début ni terme. Elle est purement processuelle : comme le cours d'une pratique engagée, poursuivie. Taminiaux dégage, après Arendt, un corrélat de première importance à ce statut : la *praxis* est toujours partagée. L'action n'est qu'interaction. Elle

---

25. C'est pourquoi on s'étonne de voir dire si souvent que Platon considère l'image comme une « copie de copie », imitation d'imitation. Ce n'est certes pas ce qu'il pense : l'imitation imite, certes, l'apparence d'une chose déterminée, laquelle n'est justement pas une imitation (mimésis) de l'eidos, mais son imparfaite mise en œuvre. Il y a bien une théorie des trois degrés dans *La République* (X, 597 d : l'imitation est éloignée de trois degrés de la vérité), mais ces degrés ne sont pas de même nature : l'un est poiétique, l'autre mimétique, et Platon développe son argumentation précisément pour les opposer. D'où vient donc cet inusable lieu commun (la copie de copie) ? On ne sait. La thèse paraît en revanche, comme telle, au moins dès le XVIIᵉ s., chez Nicole par exemple : l'image est ainsi caractérisée comme une *figure de figure* (*cf. Traité de la comédie*, éd. de Laurent Thirouin, Champion, 1998).

se livre dans le régime d'une pluralité des actes, qui se répondent. Et cette *réponse* est au sens strict : parce que les agents pratiques *se parlent*. La *praxis* a partie liée avec la *lexis*. L'inter-action est interlocution. La *praxis* : cet échange, toujours déjà commencé, sans fin, tramé dans une parole commune, des voix en partage, en ce sens toujours *improvisée*, comme dit Tami-niaux. Action plurielle, partagée, verbale : on voit combien cette improvisation diffère de la fabrication poïétique, initia-trice et finalisée, pré-voyante et pourvoyeuse de ses œuvres.

Taminiaux donne à comprendre, avec beaucoup de clarté, comment le fait de cet écart (entre *praxis* et *poiésis*) engage deux déterminations très décalées, et à vrai dire antagonistes, de la nature du politique. Car d'un côté – le platonicien – le politique est pensé comme devant se régler sur le modèle artisanal : il lui faut une idéalité préalable, qui puisse être observée théoriquement, et à laquelle succède une réalisation technique. C'est la *politéia* (le régime politique) comme *œuvre*, condition de tout ce qui sera vu plus tard comme esthé-tisation du (ou de la) politique, et qu'il faudrait donc appeler d'abord, en ce sens, *poiétisation*, poétisation. Devant quoi, sans doute, la démocratie telle qu'elle se faisait bon an mal an dans Athènes, à coup d'improvisations successives, ne pou-vait être que lourdement disqualifiée. Sur l'autre face, aristo-télicienne, le politique est plutôt pensable comme interaction partagée, débattue, sans idéal prévu ni mise en œuvre termi-nale, et quelle qu'ait été « l'opinion » politique d'Aristote cette approche praxo- ou pragmato-logique paraît plus adéquate à une saisie du démocratique dans sa spécificité.

Ainsi s'éclaire la curieuse question du théâtre. Car le mérite de l'analyse de Taminiaux est, bien sûr, de donner à penser en quoi la tension entre *praxis* et *poiésis* engage deux idées oppo-sées du théâtre – et donc, en vérité, conditionne l'approbation du théâtre contenue dans l'ouvrage d'Aristote[26], face à la pos-ture très anti-théâtrale de Platon. Mais surtout – et ici l'analyse est très neuve – cette approche éclaire la portée inattendue de la « question du théâtre » dans le débat général entre les deux

---

26. Pourtant baptisé *Poétique*, de façon à cet égard paradoxale.

philosophies : dans le désaccord politique reconduit à sa dernière profondeur, dans l'onto-politique – discorde radicale quant à l'inscription du politique dans une ou plutôt deux ontologies. C'est l'importance, à première vue énigmatique, du théâtre dans ce conflit des essences[27] qui perd alors un peu de son mystère. Puisque, s'il s'agit là du différend entre une politique strictement idéaliste (où la bonne cité est prise comme œuvre, à créer à partir de rien sinon d'une norme idéale, d'un *eidos*) et une politique pragmatique (qui se pense comme réfection toujours continuée, distribuée, discutée, des modes de l'être-ensemble), et si donc ce débat peut être vu comme celui qui oppose par avance, de façon séminale, les esthétiques totalitaires et les politiques démocratiques, le théâtre, comme saisie élective de la *praxis*, comme *mimèsis praxéos*, ne peut qu'être récusé par les uns et revendiqué par les autres. À travers son usage, c'est l'agir incréé des entreparlants que Platon congédie, et qu'Aristote affirme.

*

Ainsi nous instruit la précieuse réflexion de Taminiaux. Quels sont ses effets pour la question qui nous occupe ? Comment situer, désormais, le drame (la notion, le concept du drame) dans l'espace de tension ainsi déterminé, entre *poiésis* et *praxis* – dans cette sorte de compétition, d'*agôn* entre Aristote et Platon, et surtout entre leurs deux postérités, et ce qu'elles engagent de pensées du théâtre *et* de la politique ? La situation du drame devant la *poiésis* est, nous l'avons dit, assez claire. Le drame est poème dramatique : c'est à dire mise en travail de l'univocalité du poème par la pluralité des voix. Le drame est le poème de la division. Lorsque l'unité de la vision poétique (c'est-à-dire l'unité du point de vue : non pas l'unité du contenu de la vision, mais l'unicité du point à partir duquel elle est vue) se laisse solliciter fictivement par la pluralité des voix, il en résulte ce mode de division singulier qu'est le drame. Voix unique distribuée en voix diverses, dont la diver-

---

27. Platon, *Rep.*, X, 595 a.

sité n'est jouable que sous condition d'éclipse de la voix solitaire qui la porte – sous condition d'aphonie (jouée) du poète,
d'un silence fictivement imposé à l'unité d'élocution par quoi
le drame est porté. Le drame est ce jeu de la distribution d'une
voix, réellement unique et fictivement muette, en une pluralité
de paroles, fictivement multiples et réellement prononcées.

Plus complexe, sans aucun doute, est le rapport du drame
à la *praxis*. Car, Aristote l'indique déjà, *drân* comme *prattein*
veulent dire : faire, agir[28]. Et dans son traité, l'emploi des
deux termes se croise : par exemple, quand il s'agit d'une
sorte de parenté entre Sophocle et Aristophane, « car tous
deux imitent des personnages agissants (*prattontas*) et dramatiques (*drontas*) »[29]. La traduction de cette phrase est, on le
voit, délicate. Si l'on refuse l'ajout du mot « personnage »,
anachronique, qui n'a pas d'analogue rigoureux dans le texte,
il faudrait dire : car toux deux imitent (ou représentent,
mimountai) des agissants (*prattontas*) et des agissants (*drontas*). Avec toutefois, pour nos oreilles d'aujourd'hui, la conno-
tation divergente de faiseurs de pratique d'un côté (praticiens,
pratiquants) et faiseurs de drame de l'autre (personnages dramatiques, rôles, ou « acteurs », qui serait le mot le plus juste,
entendu à la manière de d'Aubignac ou Corneille, comme
personnage-comédien[30]).

Et c'est bien là notre question, à la fin. Car, pour poser le
drame devant la *praxis*, qui le borde et le délimite symétriquement par rapport au poème, il faudrait savoir quel trait
distingue ces deux noms de l'action (drame et pratique), qui
semblent historiquement et problématiquement si proches[31].
Quelle ligne sépare l'agir pratique et l'agir dramatique. Car la
praxis, *et non le drame*, est au cœur de la définition aristotélicienne de la tragédie. Au chapitre VI du traité – et ailleurs
aussi –, cette référence à la *praxis* se répète avec une surprenante insistance, presque litanique. La tragédie y est définie

---

28. *Poét.* III, 1448 b1.
29. III, 1448 a 28-29.
30. *Cf.* D.G., *Le Théâtre est-il nécessaire ?*, *op. cit.*, pp. 43 *sq.*
31. L'examen de cette question sera repris, à nouveaux frais, dans « Actions
et adresses », ci-dessous pp. 79 *sq.*

comme *mimèsis praxeôs* (imitation d'actions pratiques)[32]. À peine plus loin, ce sont les agissants, les agents pratiques qui font la représentation (*prattontes poiountai tèn mimèsin*)[33]. Puis Aristote redit qu'il y a là « représentation d'action pratique (*praxeôs esti mimèsis*) et que les pratiquants (*prattetai*) en sont des agents praticiens (*prattonton*), qui doivent avoir ethos et pensée, car c'est ainsi que se qualifient les actions pratiques (*praxeis*), les actions pratiques (*praxeôn*) résultant de la pensée et du caractère [...] et que c'est ainsi l'histoire qui est la représentation d'action pratique (*praxeôs mimèsis*), en appelant histoire le système des faits (*pragmatôn*) effectués par des agents pratiques (*prattontas*) », etc.[34] On pourrait multiplier les exemples[35].

Ainsi c'est la *praxis*, comme telle, qui est engagée comme matière propre de la tragédie. Ce qui autorise d'ailleurs, pour des raisons profondes (et moins convenues qu'il pourrait sembler à première vue) Taminiaux, après d'autres, à faire de la tragédie un genre essentiellement politique. Non parce qu'il y serait question d'affaires publiques, ou des conduites de la cité – ce qui, très certainement, se discute[36] – mais bien plutôt parce que l'objet même de la *mimèsis* tragique, au moins dans sa saisie aristotélicienne, est la *praxis* en tant que telle, et que la *praxis* est le mode propre d'existence de l'action politique dans sa singularité. Ce dont parle la tragédie, ce qu'elle représente ou imite, ce n'est pas la fabrication poiétique, la pro-

---

32. VI, 1449 b 24.
33. VI, 1449 b 31.
34. VI, 1449 b 37- 1450 a 6. J'espère qu'on excusera cette traduction détestable, qui veut seulement faire entendre le martèlement du radical *praxique* dans ce très court passage.
35. Parmi d'autres : « la plus importante de ces parties [de la tragédie] est l'assemblage des actions (*pragmatôn*) accomplies, car la tragédie imite non pas les hommes mais une action (*praxeôs*) et la vie, le bonheur et l'infortune, or le bonheur et l'infortune sont dans l'action (*praxei*), et la fin de la vie est une certaine manière d'agir (*praxeis*), non une manière d'être » (VI, 1450 a 15-19), « sans action (*praxeôs*) il ne peut y avoir de tragédie, mais il peut y en avoir sans caractères » (VI, 1450 a 23), etc. Trad. Hardy, Les Belles Lettres [1932], 1990.
36. *Cf.* N. Loraux, *La Voix endeuillée, essai sur la tragédie grecque*, Gallimard, 1999. *Cf.* également mon *Exhibition des mots* (1992), *op. cit.*, p. 24, 37-43.

duction, l'engendrement de la cité comme une œuvre. Elle y est profondément inapte – ce dont Platon lui fait tant grief. La tragédie s'affaire autour de l'interaction et de l'interlocution pratique, dont elle trame, ourdit la présentation. Elle est monstration de cet agir-là (*mimèsis praxeôs*) dont elle produit l'histoire comme composition de faits agis (*pragmata*).

Que signifie alors ici le « drame » ? Pourquoi ce terme médian ? Pourquoi les classiques n'ont-ils pas dit *poème pratique* ou quelque chose comme *poème pragmatique*, avant la lettre ? Parce que, sans doute, l'hétérogénéité entre les deux pôles est trop forte. On le sent bien dans cet assemblage, que je bricole : « poème pratique » est trop hétéroclite, il rapproche deux pôles qui résistent à la jonction, l'unité du poème et la pure diversité de la *praxis*. Il faut un terme moyen. Et ici joue la distinction entre drame et, pourrait-on dire par jeu, pragme (*dramata* et *pragmata*). Ici doit se montrer la différence entre agir pratique et agir dramatique, qui rend l'autre plus disponible que l'un à sa captation dans le poème.

Faisons trois hypothèses. La première vite écartée : on pourrait supposer que la spécificité du drame soit d'être pris dans le langage, d'être le fait des « personnes entreparlantes », comme dit Mairet[37]. Mais, nous l'avons vu, cette prise dans la parole est aussi bien le fait de toute *praxis*. La *praxis* est *lexis*, son interaction est interlocution. Ce n'est donc pas ce tissage langagier qui rapproche spécifiquement le drame du poème. Deuxième suggestion : l'action dramatique est, non

<hr />

37. C'est, on s'en souvient, l'hypothèse de d'Aubignac, qui écrit – avec son extrême rigueur coutumière : « À considérer la Tragédie dans sa nature et à la rigueur, selon le genre de Poësie sous lequel elle est constituée, on peut dire qu'elle est tellement attachée aux actions qu'il ne semble pas que les discours soient de ses appartenances. Ce poëme est nommé *Drama*, c'est à dire *Action* et non pas *Récit* ; Ceux qui le représentent se nomment *Acteurs* et non pas *Orateurs* ; Ceux-là même qui s'y trouvent présens s'appellent *Spectateurs* ou *Regardans*, et non pas *Auditeurs ;* Enfin le Lieu qui sert à ses Représentations, est dit *Theatre*, c'est à dire *un lieu où on regarde ce qui s'y fait*, et non pas où l'*on Ecoute ce qui s'y dit*. Aussi est-il vray que les Discours qui s'y font, doivent estre comme des Actions de ceux qu'on y fait paroistre ; car là *Parler*, c'est *Agir* (...) » *La Pratique du théâtre*, éd. de P. Martino, Alger, Carbonel 1927, Livre quatrième, chap. II, p. 282. Les italiques et majuscules sont dans le texte.

pas dans les mots mais entre eux, l'instance de la décision. Ce qui a lieu *entre* les deux vers[38] de *Cinna*, prononcés par Auguste : entre

> En est-ce assez, ô Ciel, et le Sort pour me nuire
> A-t-il quelqu'un des miens qu'il veuille encor séduire ?

(où Auguste est encore pris dans le désarroi, la détresse, le ressentiment), et

> Qu'il joigne à ses efforts le secours des Enfers,
> Je suis maître de moi comme de l'Univers.

où l'Empereur a déjà décidé de procéder à l'acte pur, absolu de la clémence. On pourrait imaginer que le dramatique (l'action dramatique en tant que telle, l'élément pur du drame) soit cette instance de la décision tranchante et sans épaisseur, cette pure coupe interstitielle de la résolution. Comme ce pourrait être encore le cas *au dedans* du très célèbre vers[39] de *Bajazet* :

> Madame ; et si jamais je vous fus cher...
> ROXANE
> > > > Sortez.

où le « Sortez » exécute la décision de mettre à mort Bajazet (« mais s'il sort, il est mort »[40]), décision qui n'a pu qu'être prise antérieurement à son énoncé (mais là, conformément au plus grand entrelacs de la décision racinienne, sans doute en un point indéterminé, indéterminable, comme flottant, du discours antérieur de Bajazet que Roxane écoute). Cette hypothèse, strictement décisionniste (le drame, c'est la résolution prise entre les mots) peut séduire. Malheureusement – ou heureusement – elle ne rend compte que d'une forme très particulière de l'action. Car l'action, dans le drame (ce qui a lieu entre les parlants, dont l'événement modifie l'histoire) ne se réduit pas aux résolutions actives et décidées. Il y a de l'action

---

38. 1694 et 1695, (V, III).
39. 1564 (V, IV).
40. 1456 (V, III).

(au sens dramatique) dans la passivité[41]. Ainsi dans l'incandescente scène dite « de la déclaration » de *Phèdre*, l'aveu est assurément une action dramatique, un élément positif et opérant du drame. Or il ne résulte d'aucune résolution. Et d'ailleurs, il n'est pas *entre* les mots du discours, il n'est pas un moment vide et tranchant qui coupe un hiatus, une fente du texte : il se propage comme une onde à même la parole, dans le discours qu'il travestit, enfle et fait éclater dans son éclosion même. Ainsi, il est une opération passive, totalement subie par l'actant qui la porte. Phèdre en est le véhicule, la victime, en même temps que l'énonciatrice. Elle dit :

> Que dis-je ? cet aveu que je viens de te faire,
> Cet aveu si honteux, le crois-tu volontaire ?[42]

On ne peut donc identifier l'action dramatique à la décision qui coupe le texte, à la césure résolutive qui le fend. Le drame est actif et passif. L'*affection* qui touche, altère, blesse les agents du drame est dramatique, pleinement.

Reste une troisième hypothèse, qui consiste à renverser la question. Au lieu de se demander : quelle différence avec la *praxis* rend le drame apte à entrer dans le poème ?, on peut proposer que le drame, au fond, est peut-être exactement cela – une action entrée dans l'élément du poétique, une action réorganisée par et pour sa captation dans le poème, et se voyant marquée, par là, de traits proprement poiétiques. Relevons trois de ces traits. D'abord, la *poiésis* a un commencement (l'idée) et une fin (l'œuvre). La *praxis*, on l'a dit, est sans origine et sans aboutissement. Elle est la modification, le changement qui affecte toujours un déjà-donné, action sur une action, toujours inter-active, en écho. Ce double caractère (commencer et finir), la *poiésis* le transmet, le lègue à ses œuvres, la production le dépose dans ses produits. Ce qui fait de l'œuvre un tout, une entièreté, un objet borné, fini, configuré par la structure et la finitude de sa fabrication. Or, cette entièreté est un

---

41. Ce point aussi est réexaminé ci-dessous, dans « Actions et adresses » (pp. 79 *sq.*) et « Raison du drame » (pp. 91 *sq.*).
42. II, v, 693-694.

trait pertinent du drame. On se souvient que pour Aristote la tragédie doit imiter une action complète et entière. Le texte dit : une action finie (*teléias*) et totale (complète, formant un tout, *holès*). Et Aristote ajoute « Un tout (*holon*) est ce qui a commencement, milieu et fin »[43]. Cette finitude, ce bornage initial et terminal de l'action dramatique, non par coupe fortuite ou arbitrale, mais par initiation et achèvement, sont une marque déposée dans le drame par la capture de la *praxis* sous le régime du poiétique.

Un deuxième trait poiétique du drame est son unité : son unicité plutôt, l'unité ou l'unicité dite d'action, dont découlent tous les autres traits spécifiques de la composition dramatique, de la dramaturgie. Car l'unité ou l'unicité (surtout *de l'action*) sont profondément étrangères à la pratique. La *praxis* est pluralité des actions, aussi bien interne qu'externe : externe, car les actions ne cessent de se répondre et de s'interpeller, forment une chaîne ou un réseau sans bouts, et qu'il est donc intrinsèquement impossible d'y cerner une action ou un complexe d'actions isolable. Interne, parce que l'action pratique est au fond toujours divisible. Il n'y a pas d'unité élémentaire de la pratique, *il n'y a pas d'acte pratique pur*. Ici je déborde évidemment Aristote, au moins pour ses formules patentes. Mais il me semble qu'on pourrait montrer sans trop de peine que cela découle de ce qu'il pose, dans la ligne interprétative que suivent Arendt ou Taminiaux. La volonté de dégager, dans son unité et sa compacité nucléaire, un acte-élément, atomique, isolable, est une réfection *dramatique* de la *praxis*, sa reprise dans l'élément poiétique. Unité et unicité sont des caractères du drame : la *praxis* les ignore. Et cette indivision, cette clôture sont des traits de l'individualité hermétique que nous avions repérée dans la *poiésis* : hermétique à tout ce qui n'est pas passage de l'idée (« fureur divine »[44], par exemple), close à l'interaction infinie des échanges pratiques, prise dans la finitude de son individuation et la ponctualité de son point de vue.

---

43. VII, 1450 b 24-27.
44. C'était le terme de Mairet, *op. cit.* p. 479.

C'est peut-être dans ce rapport à l'idée que se tient, pour finir, l'élément le plus décisif, la marque la plus nette du poïétique dans la facture du drame. La *poiésis* veut une idée qui préexiste à l'œuvre, qui en autorise et en prescrit la fabrication. C'est cela qui donne à la chose produite sa prévisibilité, qui la fait se déduire d'une instance idéale qui la surplombe et la contraint. Le drame est conçu ainsi. Dans sa manière ancienne – la tragédie – l'unité de l'action dramatique répond à un plan, à une prévision externe : le destin. La tragédie est exécution d'un destin dont le schème la précède, et la règle infailliblement. Peu importe ici que la grandeur des tragiques ait été, sans doute, d'inscrire un élément de révolte, d'insurrection intime de l'agent contre la prescription intangible de son acte. On sait bien qu'au bout, c'est le destin qui gagne : et parfois la révolte, comme dans *Œdipe*, n'est qu'une ruse de la prévision, qui l'aide à s'accomplir. La tragédie est écriture de la *poiésis* de l'existence humaine. Les vies d'humains ne sont que des œuvres divines. Et leur seul espace d'autonomie est de maudire la prévision qui les façonne, d'en dire du mal, sans rien en changer. La finitude tragique est poïétique intimement. Le malheur, c'est la création.

Mais il existe une deuxième manière, moderne, pour cette contrainte créative du drame. C'est celle où l'idée n'est plus le destin tel que les dieux l'écrivent, ou le lisent, mais l'idée de l'œuvre elle-même, dont l'artiste détient la clé. Au fond, c'est peut-être cela, le drame – moderne, au moins : une action unitaire répondant à une idée esthétique. Le *Robert historique de la langue française* nous apprend que la première attestation écrite du terme « drame » en français date de 1657 : de la *Pratique du théâtre* de d'Aubignac, figurez-vous. Je n'ai pas retrouvé cette mention. Seulement la citation du grec *Drama*, que j'ai rapportée plus haut. Mais elle doit y être, le dictionnaire est sérieux. L'émergence du terme (en français, s'entend) est bien tardive, n'est-ce pas[45] ? Le terme *pratique*,

---

45. D'Aubignac, lorsqu'il s'explique du choix de son titre, l'oppose à « la Théorie du théâtre ». Mais il ne dit pas pourquoi il n'a pas élu celui qu'on pouvait attendre, le mot *Poétique* : comme l'avait fait La Mesnardière, en 1640,

préféré de d'Aubignac, ne s'imposa pas, en ce sens de savoir-faire relatif à la composition des pièces. Ce qui prévalut, ce fut exactement « dramaturgie », mais plus tard. Après que le drame, (ré)apparu en français sous la plume du bon abbé, se fut imposé comme un nouveau genre – c'est à dire peu après en somme, à peine un siècle, quand s'ouvrit le continent nouveau de l'esthétique. Le drame : ce qui reste du destin quand les dieux ont fui, la prise des actes dans la finitude de l'œuvre, l'existence captée par les règles de l'art, la vie dans le poème.

Rien d'étonnant alors à ce que le délaissement, aujourd'hui bien entamé, de ces modèles de l'art ne marche avec une dé-dramatisation du théâtre. Cette sénescence, cette exténuation du drame, que Brecht avait comprise, au moins dans les termes de son temps (comme dramaturgie non-aristotélicienne), et dont Szondi a décrit la phénoménalité[46], le mode d'apparition, sont la marque de notre théâtre, quoi qu'on en ait, et malgré les efforts des restaurateurs. Le modèle de l'artiste faiseur de destins et de mondes, qui prend la vie dans les filets de son art, est derrière nous. Quelque chose lui succède, que ne dit pas le mot de drame : une autre époque de l'agir, une autre pragmatique, un autre devenir ouvert des existences et des interactions, pluralité partagée, divise, non-commençante (an-archique) et interminable de l'inter-agir et de l'entreparlement humain, dont l'examen de pensée – pour ne pas dire la théorie – reste encore, largement, à mettre en pratique.

Décembre 1999

---

et comme Riccoboni le fils s'expliquera de ne pas le faire, lorsqu'un siècle plus tard il produira son *Art du théâtre* (mais c'est l'art de l'acteur : *cf.* F. Riccoboni, *L'Art du théâtre*, Slatkine reprints, Genève 1971, pp. 4-5 de la postface.). Peut-être le choix de d'Aubignac peut-il s'expliquer par le fait qu'à la différence d'Aristote il restreint rigoureusement son objet au théâtre, alors que la *Poétique*, on s'en souvient, traite aussi de l'épopée. Mais il eût pu dire : poétique du théâtre. Il faut croire que quelque chose du mot poétique ne (lui) convenait plus.

46. P. Szondi, *Théorie du drame moderne, op. cit.*.

PROBLÈMES D'ÉCRITURE
ORPHELINE

1. Le secret perdu

À l'observateur de la vie dramatique contemporaine, se présente une très étrange, très obsédante énigme. Alors que les clefs de la réussite théâtrale semblent identifiées, repérables sans difficulté majeure, aucun auteur talentueux d'aujourd'hui ne paraît disposé à s'en saisir et à en faire usage. Tout directeur le dira : il suffirait d'une pièce bien faite, avec un sujet attachant, une action construite, des personnages denses, servis par une langue tenue et si possible un peu d'humour, pour garantir un succès intangible, sans commune mesure en tout cas avec le sort laborieux des affiches du moment.

En relisant quelques unes des réussites passées de nos scènes, on ne peut que s'étonner, au sens profond du mot, de l'aisance simple avec laquelle ces pièces se meuvent dans l'élément d'une écriture aujourd'hui impossible, oubliée, comme détentrice d'un secret perdu. Encore le mot secret ne convient-il pas : rien de mystérieux dans l'art qui les agence. Les conventions fondatrices, les fils et nœuds qui les trament y ont un air d'évidence, manifestes, visibles au premier regard[1]. Bien sûr, une idiosyncrasie du talent se manifeste dans chaque cas. Mais au dessous, ou à côté

---

1. S'il faut des exemples, entre mille, de ce savant naturel, de cette rouerie ingénue : *Les Corbeaux*, de Becque (1882), ou *Les Monstres sacrés*, de Cocteau (1940).

d'elle, transparaît un ensemble de règles de composition, de fabrication, sans chiffre, quelque chose comme ce que l'ancienne langue appelait un art, *ars*, un savoir-faire organisé – une technique. Rien d'insondable. De sorte que le secret maintenant inaccessible, s'il en est un, n'est pas dans le système de ces prescriptions ou indications d'écriture, mais dans la *volonté* de les mettre en œuvre. La clé perdue de l'écriture dramatique, c'est ce vouloir appliqué au drame, c'est la décision de dramatiser. Voilà notre mystère : ce défaut du désir, comme à notre âme défendante, cet abandon, cette déprise irréversible du drame. Quelque chose en nous ne veut plus de cette technique, de cet art dramatique, même si nous pleurons sur ces succès possibles, ces bonheurs publics à notre portée, qui nous narguent du fond de leur délaissement.

Encore un indice, une figure, de cette désaffection. À vrai dire, c'était bien prévisible, certains auteurs ne se sont pas pliés à la surprenante injonction négative du temps. Plus d'un dramaturge, dans le demi-siècle, aura choisi de faire délibérément usage de ces savoir-faire caducs, afin de composer des pièces construites et efficaces. Auteurs dits « de boulevard » par exemple où, notons-le, la figure de l'Art a depuis peu remplacé l'argent ou le pouvoir : pas un succès commercial récent sans un artiste, un écrivain ou à la rigueur un savant à la place précédemment occupée par les financiers ou les ministres. Or, l'énigme dont nous parlons se redouble par le fait que, quelles que soient leurs qualités intrinsèques, ces pièces paraissent comme extérieures à notre histoire (du théâtre), au devenir de notre théâtre s'écrivant dans l'histoire (de l'art). Ce ne fut pas toujours vrai : produire des pièces comiques ou plaisantes n'a pas toujours équivalu à s'exclure du champ de l'art – ni Molière, Marivaux, Beaumarchais bien sûr, ni même Labiche, Courteline voire Feydeau, ancêtres ou pères de notre boulevard ne se sont trouvés bannis du domaine artistique, dans cet *atekhnotaton* comme eût dit Aristote[2], où se rangent à nos yeux les néo-boulevardiers[3].

---

2. Qui use du terme à un autre propos, bien sûr. Par ex. *Poétique*, VI, 1450 b 18.

3. Un cas particulièrement significatif à cet égard est celui de Yasmina Reza,

Ainsi s'énonce notre dilemme à valeur d'énigme : ou bien tenter d'écrire un théâtre d'aujourd'hui, qui tire les leçons de l'histoire de notre art et veut s'y inscrire – et alors renoncer au savoir-faire dramatique. Ou bien s'obstiner à en faire usage, et se trouver rejeté sur les berges du fleuve de l'art. Mais pourquoi en va-t-il ainsi ? Pourquoi le cours de notre histoire s'est-il à ce point rendu incompatible avec la technique du drame et ses succès ?

2. Le drame et son destin

L'hypothèse que je soumets ici à la discussion est que ce qui est devenu intolérable pour notre esprit, pour notre expérience, pour notre condition présente, touche à un caractère fondamental du drame comme tel, à la structure de l'expérience humaine telle qu'elle s'organise dans sa présentation comme *dramatique*.

On le sait depuis Aristote, un ensemble d'actions se compose en drame à la condition de constituer une unité, de former un tout[4]. Or, explique Aristote, former un tout c'est posséder un début, un milieu et une fin[5]. Il faut donc d'abord au drame, à son unité dramatique, un début « qui ne résulte de rien et dont ce qui suit résulte »[6], c'est-à-dire une origine posée comme absolue, et « une fin qui résulte de ce qui la précède

---

tenue pour un excellent auteur à ses débuts (dans le théâtre d'Art), et qui aux yeux de certains s'est exclue de notre histoire (de l'art) depuis sa comédie à très grand succès – baptisée « Art », précisément (1994). Je reviens sur cette œuvre singulière dans un prochain essai (*Avez-vous lu Reza ?*, Albin Michel, 2005).

4. « La tragédie est la représentation d'une action menée jusqu'à son terme, qui forme un tout » (*téléias kai holès*), *Poétique* 7, 1450 b 24. (trad. Dupont-Roc et Lallot, Seuil, 1980).

5. « Un tout, c'est ce qui a un commencement, un milieu et une fin » (*arkhès kai méson kai téleuten*), 7, 1540 b 26.

6. « Un commencement est ce qui ne suit pas nécessairement autre chose (*ho auto men mè ex anankès met'allo esti*), mais après quoi se trouve ou vient à se produire naturellement autre chose (*étéron péphuken einai e ginestai*) » 7, 1450 b 28.

et dont rien ne résulte »[7], c'est-à-dire une fin au sens métaphysique, un *telos*, un achèvement. Il faut d'abord que le drame s'engage à partir d'une situation stable, potentiellement fixe et durable, pourtant défaite par la survenue d'un événement qui fait origine, qui commence et engage le drame comme cause première de tout. Et il faut que le cours des actions se résorbe dans un terme qui les intègre et les annule, les nie, épuise leur mouvement, et au sein duquel l'immobilité native se reproduit comme horizon dernier de l'action vidée. Il faut au drame ce double bornage archéo-téléologique : deux immobilités essentielles entre lesquelles s'instaure le déchirement d'une rupture, d'une crise, d'une chute radicale et provisoire.

Le moment intermédiaire, c'est-à-dire le drame dans son déploiement intrinsèque – ce qu'Aristote appelle un milieu (qui résulte de ce qui précède et dont résulte ce qui suit)[8] – est, on le sait aussi, nécessairement structuré comme conflit. Il n'est de drame qu'à la condition d'une détermination conflictuelle (peut-être parce qu'initialement agonistique, comme conflit de droits) de l'essence de l'action. L'action dramatique s'organise à partir de l'équilibre, du couplage de deux forces antagonistes, assez équivalentes pour se tenir un moment, mutuellement en respect. Le drame demande une symétrie des forces adverses, il n'y a de drame (c'est à dire de *temps* de l'exposition et de l'aggravation du conflit) que si leur équivalence temporaire exclut tout écrasement de l'une par l'autre, toute annulation immédiate de leur lutte, qui nierait le conflit, donc le temps de l'action, donc le drame comme tel.

L'organisation dramatique institue ainsi une construction strictement dialectique de l'expérience : une immobilité originaire rompue par le déchirement d'un conflit, ouvrant le temps d'une symétrie antithétique qui permet à l'antagonisme de s'aggraver dans son insolubilité provisoire, et que clôt la réso-

---

7. « Une fin est ce qui vient naturellement (*péphuken*) après autre chose, en vertu soit de la nécessité soit de la probabilité (*anankès hos épi to polu*), mais après quoi ne se trouve rien », 7, 1450 b 29.
8. « Un milieu est ce qui vient après autre chose et après quoi il vient autre chose » 7, 1450 b 31.

lution par écrasement d'un des termes (ou parfois des deux), restauration de l'unité rompue et de la fixité ébranlée. Mais il manque à cela une condition encore, précisément énoncée par Aristote et ses commentateurs : que l'enchaînement des actions qui conduit de la rupture initiale au terme résolutif se donne à voir comme nécessaire (ou au moins comme vraisemblable – ce qui qualifie la forme-spectacle de la nécessité[9]). C'est-à-dire : que la consécution des actes qui expose ce déchirement, cette aggravation et cette chute, soit celle d'une causalité sans faille, d'une détermination sans hiatus, sans jeu, de sorte que la chute soit contenue dans l'origine comme l'effet dans la cause.

Cette structure d'ensemble n'est rien d'autre, on le voit, que l'élaboration logico-métaphysique du schème de la vie comme *destin*. L'origine comme déchirement, c'est-à-dire comme naissance, le terme comme résolution immobilisante, c'est-à-dire comme mort, et entre elles la suite des actes comme nécessité de la lutte aggravée jusqu'à l'écrasement, ce n'est là rien d'autre que la forme destinale de l'existence, la détermination de l'exister comme enserré dans le double filet et la causalité sans défaut du *fatum*. Le drame est le récit ou la présentation de notre vie comme fatalité des actes de vivre, comme capture des faits, des gestes de la vie dans la fatalité, dialectique, de la totalisation.

C'est pourquoi tant de théories de la cohérence dramatique, d'Aristote à Brecht – qui ne l'affirmera que pour en inverser les effets – posent la priorité absolue de l'action sur les caractères. Au fond le caractère, dans sa constitution proprement dramatique, n'est qu'une modalité de la mise en relation des actions du drame, comme une sorte d'habillage ou d'épaisseur donnée subsidiairement à cette liaison : mais la détermination du caractère ne constitue pas la liaison, elle n'opère pas le lien des actes entre eux, qui ne résulte que de la nécessité (de la cohésion logico-métaphysique de leur enchaînement). Aristote, on s'en souvient, indique qu'il peut y avoir une tragédie

---

9. *Cf.* Dupont-Roc et Lallot, commentaire de la *Poétique*, *op. cit.*, pp. 211-212.

sans caractères, alors qu'il ne peut y en avoir sans intrigue, c'est-à-dire sans le système des actions[10]. L'actant du drame n'est que l'exécutant d'une nécessité mise en acte par lui, d'une consécution et d'une effectuation des actes dont la nécessité l'excède et le traverse. Il est appelé par l'acte, et donc par la cause qui l'induit, comme son servant, son porteur, son véhicule ou son canal. Mais l'acte résulte d'un lien de nécessité qui le rapporte à un autre acte antérieur, et ce lien est *destinal* : c'est la destination de l'acte qui induit le personnage. Le personnage dramatique n'est qu'un présentateur des actes qui s'enchaînent à travers lui, sans que jamais son *caractère* puisse fonder la nécessité de leur enchaînement. Ce qui mettait en fureur quelques romantiques, dont Lenz[11]. Ils auraient bien voulu que l'acte résultât de l'âme du personnage, et non de son histoire. Mais sans s'émanciper assez du drame, sans savoir éviter que l'âme elle-même ne fût une sorte de détermination intrinsèque, destinale elle aussi, un avatar du dramatique et donc de la fatalité.

3. LA NÉCESSITÉ EN IMAGES

La supposition que j'avance peut alors être formulée comme suit.

Premièrement. Cette structure destinale de l'expérience, essentiellement connaturelle au drame, ne *répond* plus à l'appréhension que nous avons de notre vie. Pour des raisons sur lesquelles il faudrait à nouveau s'interroger[12], la saisie que nous opérons de notre existence ne tolère plus d'être captée dans la forme et la contrainte du destin – ni donc du drame. On peut décrire, selon un certain point de vue, tout le contenu de la modernité selon ce critère : une inaptitude à cette assignation de l'existence au régime de la nécessité. Que les actes

---

10. *Poétique*, 6, 1450 a 23.
11. *Cf.* « Notes sur le théâtre », in J. Lenz, *Théâtre*, L'Arche, coll. « Travaux » 21, 1972, pp. 27 *sq.*
12. En renouant évidemment la discussion avec P. Szondi (*Théorie du drame moderne*, 1956) ou G. Steiner (*La Mort de la tragédie*, 1961).

découlent d'autres actes qui les précèdent comme autant de causes, voilà l'intolérable pour le sentiment moderne. La modernité, ce pourrait être cela : rapporter les actes, non à des causes, mais à l'expérience d'une in-certitude originaire, au vide de détermination qui fait le fond d'un rapport à soi, et que d'aucuns veulent penser sous la catégorie du sujet. Il n'est pas certain que « sujet » soit le bon mot pour penser cette affaire. Mais que les actes ne s'enchaînent pas comme des faits, ni comme des événements du monde, sur la ligne horizontale des causes et de leurs effets, qu'ils se relient plutôt au vertige, à la verticalité abyssale d'un non-causé, d'un indéterminé, d'un absolument incertain qui les constitue spécifiquement comme actes, voilà ce que ne cessent de penser, de clamer les modernes. C'est ce que Brecht par exemple dit à l'acteur, lorsqu'il exige de lui qu'il fasse sentir à chaque moment que le personnage pourrait faire autre chose que ce qu'il fait[13]. Or le drame affiche le contraire – ce que Brecht a vu et a voulu combattre. Le drame (voyez Œdipe) dit toujours : le personnage, la personne, le sujet si l'on veut, peut bien avoir la conviction ou la certitude de l'indétermination de son agir, il peut bien penser à chaque carrefour de l'action que son acte est un choix ouvert et que rien ne prédétermine, bref pour lâcher le mot il peut bien se croire libre de ce qu'il décide, en vérité ce qu'il décide est déjà préalablement prescrit, inscrit dans une conséquence, écrit dans le livre des destinées. Ce que dit le drame, c'est : c'était écrit. Quoi que tente le personnage pour s'arracher à cette prescription, il ne peut que la confirmer, s'y enferrer d'autant plus qu'il se débat pour la fuir, resserrer le nœud du filet d'autant plus étroitement qu'il s'agite pour s'en extraire. Donc, la consécution est inscrite dans le régime de la conséquence[14], la chronique des faits se fonde dans la chaîne des causes, l'existence est contrainte sous la loi de la nécessité. L'incertitude, l'in-décision où toute décision croit trouver sa source n'est qu'un mirage de la subjectivité.

---

13. *Cf. Écrits sur le théâtre 1*, Ed. de l'Arche, 1972, pp. 390, 533.
14. *Cf.* Barthes, « Introduction à l'analyse structurale des récits » (1966), *Œuvres Complètes*, éd. 2002, vol. II, p. 843.

Celle-ci est foncièrement asservie aux règles du drame. La subjectivité n'est que sujétion. Voilà ce qu'un moderne ne peut admettre. L'inscription de l'expérience dans la règle fondatrice du drame : la modernité s'y refuse, s'en horrifie. Écrire un drame ne peut être qu'anachronique, et répugne à notre temps.

Deuxièmement. Je suggère que l'énoncé « le drame a glissé hors de notre histoire », par lequel on peut résumer ou reprendre ce qui précède (ou encore : « notre histoire se dessaisit du drame », ou « notre histoire est le mouvement de délaissement du drame, de sortie hors de lui ») équivaut à cet autre : « le drame désormais règne sur les images ». Substitution très discutable, dont il faudrait travailler soigneusement chaque aspect – puisqu'en particulier elle semble supposer que les images sont hors de notre histoire, que notre histoire se fait sans images, ce qui est à l'évidence ridiculement faux. Et pourtant, j'y insiste : on peut imaginer, c'est ce dont je propose de débattre, que le drame domine d'autant plus le régime des images que quelque chose le rend désormais inapte à rendre compte des consécutions de nos vies. Nos vies s'éprouvant, désormais, comme non-dramatiques, comme mouvement d'échappée hors du drame (et ce mouvement faisant l'épreuve de soi peut-être exactement comme vivant, en tant que vivant : le vivant étant cela-même, l'échappée du drame), il se produit cette conséquence que l'enchaînement, la consécution dramatique existe désormais dans l'image, ou peut-être mieux encore, comme image. Le lien de nécessité qui enchaîne de façon causale deux actions de la vie ne se produit (désormais) que comme séquence imagée, imagique[15], imaginaire. Voilà ce qu'en ce point j'avance : le fait de tenir que deux *actions* sont liées causalement par la nécessité qu'expose le drame, ce fait et ce lien *sont exactement de nature imaginaire* – ils sont peut-être même la nature de l'imaginaire, le fond le plus intime de l'imaginaire comme syntaxe. Bien sûr, il existe des néces-

---

15. J'emprunte ce néologisme (pour qualifier ce qui appartient au domaine de l'image) à la traduction par F. Albéra d'un mot russe d'Eisenstein. *Cf.* S.M. Eisenstein, *Cinématisme, peinture et cinéma*, éd. Complexe, 1980, pp. 9 *sq.*, et *Eisenstein, le mouvement de l'art*, Cerf. 1986, coll. « Septième art », pp. 21 *sq.*

sités, des chaînes causales, qui ne se produisent pas ainsi : chaînes de déterminations effectives dont s'occupe le discours scientifique, et qu'il énonce dans sa syntaxe logique. Mais les éléments ainsi unis *ne sont pas des actes*. Ce sont des faits, des événements, voire des gestes. L'acte, l'actif et l'agissant de l'acte, est autre chose, qui ne peut être référé au modèle de la chaîne causale que par une opération imaginaire, dont le nœud, le noyau, l'atome de liaison n'existe qu'en image, comme image : image du lien, image-lien. *La nécessité dramatique est une image* – pour ne rien dire de la vraisemblance, ce serait trop facile. Peut-être l'idée de nécessité dramatique est-elle le noyau syntaxique même de l'image, de toute image, de l'imaginaire de l'image comme telle. Il y aurait un beau programme de recherche, assurément, à tenter de mettre cette hypothèse à l'épreuve des faits, et particulièrement d'analyser à son propos le processus de constitution de la grammaire filmique[16]. En tout cas c'est l'hypothèse que je soumets ici, dont on aura senti l'allure debordienne, que je ne cache pas : dans les images règne aujourd'hui la nécessité dramatique, parce qu'elle perd sa prise sur les vies, qui lui échappent.

Troisièmement. On comprend alors pourquoi et en quel sens cette présentation, recueillie et comme condensée dans les images, devient impossible au théâtre : c'est parce que le théâtre n'est pas une présentation d'images. J'ai tenté de dire ailleurs[17] que les images, si jamais elles ont occupé la scène (au moins comme horizon, dégagement possible à partir de la réalité des planches, effet ou régime d'effets de théâtre) ont fui aujourd'hui les plateaux, qui se trouvent déserts, désertés par les figures de l'imaginaire. C'est de cela que le théâtre est à mes yeux orphelin : orphelin des images, des figures et fantômes de l'imaginaire – et donc, si l'on veut bien me suivre, orphelin du drame. Or, si cette présentation de l'image, cette

---

16. C'est-à-dire : la mise en place progressive, non obligée (ce n'était pas la seule syntaxe possible) qui a abouti à la constitution du récit de cinéma, de son régime narratif élémentaire, des mises en place de ses modes de vraisemblance et de concaténation entre plans, entre séquences, entre son et images, etc. *Cf.* N. Burch, *La Lucarne de l'infini*, Nathan, 1991.

17. *Le Théâtre est-il nécessaire ?*, *op. cit.*, pp. 109 *sq.*

monstration des images, ce régime représentatif, ne sont plus possibles au théâtre, c'est parce qu'à mes yeux le théâtre, de façon plus radicale aujourd'hui qu'hier, même si en cela il rejoint sa nature la plus intime, n'est pas une agitation d'images devant des regards spectateurs, mais une exposition d'existences devant des vies assemblées. Le théâtre n'est plus un spectacle. Ou bien : il ne l'est que très accessoirement, de façon adventice et secondaire. Le théâtre désormais, à nu et comme décapé de sa gaine, engage des existences au risque de la présentation. Du théâtre vient si un existant, ou plusieurs ensemble, se risquent devant une assemblée (au sens le plus profond et le plus essentiel de ce mot) à *livrer*, à délivrer leur existence même, là devant tous, ouverte, offerte, mise à l'étal de l'*ex-* où s'exprime son exposition. Existants qui par ce risque pris de se livrer (livraison ou délivrance), convoquent les regardants, les écoutants assemblés à l'assomption de leur propre existence commune. C'est cette opération mystérieusement secrète et impudique à la fois qu'on appelle, me semble-t-il, le jeu. Encore faudrait-il longuement réfléchir sur ce qui se joue là : exposition de soi, non certes exposition du soi, étal du moi comme fait Narcisse. Narcisse ne convoque aucune assemblée, seulement une eau dormante. Le théâtre n'est pas jeu de miroir, beaucoup de maîtres l'ont dit aux acteurs : on ne joue rien devant son reflet. Le théâtre est saut, jeu hors de soi devant l'assemblée des autres. Non pas d'un autre, qui pourrait n'être qu'un soi par analogie, mais des autres, dans la multiplicité inassignable de leur commun, de leur partage. Ce pourquoi le théâtre ne peut pas (ou plus) se nourrir d'images, même s'il en nourrit parfois. Ce pourquoi, donc, il ne peut plus s'alimenter du drame.

4. L'ÉCRITURE DU JEU

Comment écrire après cet épuisement ? Pendant longtemps, dans la tradition d'Aristote renouvelée par ses lecteurs (renaissants, classiques, jusqu'à Brecht qui a cet égard, comme à beaucoup d'autres, marque le point de bascule), la question a été : comment composer un drame ? Comment agencer les éléments du drame de façon à en *monter*, le plus efficacement possible, le dispositif ? Pour les classiques par exemple, l'analyse dramaturgique[18] essaie de retrouver, à partir des professions de foi, mais aussi à partir des traces, des dépôts que sont les œuvres elles-mêmes, les opérations fabricatrices de cette mise en place, de cet agencement formateur. Si le drame se retire, ne répond plus aux formants de notre expérience, particulièrement en tant que celle-ci se met en jeu dans la pratique du théâtre, que devient l'acte d'écriture ? Qu'est-ce qui le conduit, quelle opération singulière ?

On comprend que, dans ce contexte, l'écriture « dramatique » puisse parfois se trouver comme suspendue, relevée par la mise en scène. La mise en scène a proprement affaire avec le jeu, avec *ce qui reste* sur la scène quand le drame s'efface. Elle peut *jouer*, ou *faire jouer* de cet effacement, le jouer ou jouer avec lui. On pourrait même défendre l'idée que c'est un des éléments qui contribuent à l'avènement de la mise en scène que ce retrait du drame, qu'elle *met en jeu*. Mais si l'on écarte, par principe au moins, la seule hypothèse de cette relève d'une écriture dramatique aujourd'hui caduque au profit de la mise en scène qui viendrait s'y substituer (d'une écriture désormais purement scénique, écriture de la scène comme seule dramaturgie ou non-dramaturgie de l'avenir, ainsi que l'ont cru sans doute, consciemment ou pas, une bonne part des années 60 et 70), la question devient : comment écrire après le retrait du drame – ce qui peut aussi bien se dire : comment écrire pour le jeu ? Qu'est-ce qu'une écriture pour le jeu – si elle n'est plus écriture d'un drame qui laisserait le jeu jouer de lui, et de sa chute ?

Une part des écritures d'aujourd'hui – la part inventive – s'affaire à cette question. Il resterait à s'assurer que le *c'était écrit*, que dit le drame, ne soit pas lié par nature à l'existence du texte dramatique en tant qu'il doit être répété, reproduit dans les actes des acteurs. À prouver *en fait* que le statut de toute pièce n'est pas à cet égard inévitablement dramatique,

---

18. Selon Scherer, puis Forestier.

c'est à dire destinal au sens où j'ai tenté d'en parler, fataliste si l'on veut. La fatalité du jeu : le texte à dire ? Qui sait si une existence réelle peut se jouer ailleurs que dans les creux du texte, ses failles, et donc plutôt dans sa venue à la scène que dans sa dramaturgie ? La dramaturgie de la faille porte souvent la marque d'un certain artifice pirandellien. L'acteur actif, agissant, libre dans son acte (comme le musicien au cœur de l'invention improvisatrice, ou le poète danseur narrateur de soi), est-il une figure compatible avec l'écriture, même non-dramatique, du poème pour la scène ? Il y faudrait de nouveaux agencements et dispositions poétiques, de nouvelles pratiques poétiques, de nouveaux modules disponibles au jeu, ce qui semble nier l'existence de la pièce au sens jusqu'ici entendu. S'il existe une telle dramaturgie, non- ou post-dramaturgie de l'avenir, elle m'est encore, comme à beaucoup, inconnue. Avec espoir mêlé d'appréhension craintive, je l'attends.

Mai 2000

SORTES DE FUTURS

Pour répondre à la question posée – quel devenir pour la forme dramatique ?[1] –, je proposerai quelques considérations organisées en trois cercles concentriques. Le plus large pourra paraître étranger à l'objet de la demande ; le second, encore très abstrait ; seul le dernier, éclairé par les précédents, semblera en venir enfin à la question elle-même.

1. Œdipe et Jonas

De cette question, j'avais entendu au téléphone, ou retenu par lapsus, un énoncé inexact : « Quel avenir pour la forme dramatique ? ». Or, je gardais en mémoire une confidence de Jean-Pierre Sarrazac, qui regrettait presque d'avoir intitulé son livre en 1980 *L'Avenir du drame*. Dans la réédition de 1998, une stimulante postface, baptisée « Le drame en devenir », substitue « devenir » au mot « avenir », presque désapprouvé. Et le texte, dès les premières lignes, s'explique sur ce déplacement : « Il y a toujours quelque chose de trompeur dans un titre mais le lecteur qui achève ce livre sait bien que mon intention n'a jamais été d'établir un pronostic sur l'"avenir"

---

1. Thème général du séminaire « Poétique du drame moderne et contemporain », l'année où cette conférence y a été présentée. *Cf.* ci-dessous, p. 218.

d'une forme dramatique en crise – sinon terminale, du moins permanente – mais d'essayer de saisir, à l'examen d'une centaine de pièces des années 60 et 70, le "devenir" forcément multiple de cette écriture que, faute de mieux, on continuera d'appeler "dramatique" ». Je me sens proche de ce souci, et de certaines de ses références implicites[2]. Pourtant, je me demande ce qu'il en est de cette circonspection devant l'avenir. Et pourquoi nous éprouvons le désir de tenir ce mot à distance.

Pour éclairer un peu cette réserve, appelons-en à la différence entre deux traditions : l'une réputée grecque, l'autre censément biblique – mais cette opposition est trop schématique, simpliste. D'un côté, l'avenir des prédictions et de l'autre, celui des prophéties. La prédiction des augures ou des devins affirme la possibilité de lire l'avenir dans son déroulement obligé ; elle se pose comme capacité à dire aujourd'hui ce que, par nécessité, cet avenir sera. La prophétie en revanche décrit le tableau d'un futur déduit du présent, conséquence ou fruit de l'actuel état des choses. Malgré la proximité apparente, une différence profonde sépare ces attitudes : l'avenir prédit ou deviné s'affiche en tant qu'inéluctable, alors que la prophétie clame que l'enchaînement qui aujourd'hui s'annonce *doit être interrompu*. Je ne sais si chaque prophète pense qu'il *peut* l'être : mais il crie qu'il le *doit*.

Répétons que ce clivage entre patrimoines est très réducteur – et faux, en ce sens. L'alternative entre prédiction et prophétie, si elle est pertinente, travaille l'héritage grec comme l'histoire biblique. Mais il est important de la considérer, en elle-même, car elle entraîne un écart décisif quant à l'effet du discours, quant au caractère de cet acte de langage qu'est le fait de prédire ou de prophétiser. Prenons pour exemples Œdipe et Jonas. Œdipe veut connaître l'avenir et se le fait prédire par désir d'y échapper. Pourtant, non seulement ce désir échoue à écarter la menace, mais le recours à la prédiction est l'élément qui fait tomber dans ce qu'elle annonce. Cet

---

2. Cf. par ex. G. Deleuze et Cl. Parnet, *Dialogues*, Flammarion 1977, pp. 37, 48, etc.

effet de bascule redoutable se produit deux fois : lorsque ses parents éloignent l'enfant pour esquiver l'augure, entraînant la méprise qui va rendre le crime possible ; puis quand Œdipe lui-même exige de connaître la vérité, et ainsi s'engouffre dans le futur qu'il combat. Dans les deux cas, le désir de se faire prédire l'avenir afin de lui échapper déclenche l'accomplissement de la prédiction elle-même. L'exact contraire se produit pour Jonas. Sa situation est comparable à celle d'Œdipe : Jonas veut fuir – éviter que ce qui est annoncé arrive. Contraint à sa tâche, à la fin il délivre la prédiction : « Dans quarante jours, la ville de Ninive sera détruite »[3]. Or son discours conduit les habitants de Ninive à se repentir, à changer leur vie. Si bien que Ninive est sauvée. Le fait que la prophétie ait été livrée dans la forme de l'annonce, de la prédiction, a pour effet l'interruption de ce qui est annoncé.

Peut-être cette opposition conditionne-t-elle notre inclination à préférer le devenir à l'avenir. Peut-être craignons-nous, par l'emploi du terme « avenir », de désigner ce qui entre dans la compétence de la divination, de l'augure, et voulons-nous, avec le choix du devenir, invoquer un futur d'un autre ordre. La différence serait alors assez profonde. Il ne s'agirait plus seulement de pluraliser l'avenir en devenirs multiples, non-synthétisables et donc impossibles à connaître. Ce futur n'échapperait plus seulement à la prise de notre connaissance, il serait plus radicalement, plus essentiellement *révocable*. Futur paradoxalement prévisible (pouvant être décrit dans une pré-vision), mais qui ne pourrait, ne *devrait* être prédit qu'afin précisément d'échapper (peut-être) à la prédiction qui l'annonce. Choisir le terme « devenir » pour désigner ce champ ou cette ligne de futur revient alors à baptiser devenir « ce qui doit être interrompu ». Ou même, plus précisément encore, « ce qui doit être annoncé afin d'être interrompu »[4].

---

3. Jon, 3.
4. Cf. J.-P. Dupuy, *Pour un catastrophisme éclairé*, Seuil, 2002, en particulier pp. 161 *sq.*

2. L'IDÉE DU DRAME

Avec prudence, je vais maintenant risquer une contribution
à la question « Qu'est-ce qu'un drame ? ». Avec prudence, au
vu des longs et anciens débats sur ce thème, après quoi il serait
arrogant d'annoncer du nouveau. Voici en tout cas ce que
m'inspire mon tempérament spéculatif. Un drame est un
drame, dit-on, parce que composé d'actions[5]. Cette réponse à
vrai dire repose la question en la repoussant un peu. Chacun
sait qu'il se fait sur scène des actions qui ne sont pas dramatiques. Agissements et gestes venus par accident, ou actions
mécaniques, ou digressives. Même s'ils sont délibérés, choisis
– ce qui entre pour beaucoup dans la définition d'un acte –,
ces faits de scène peuvent ne pas trouver place dans ce que
nous appelons le fil dramatique. On peut ainsi se demander
dans quelle mesure ce que Stanislavski a pensé sous le nom
d'« actions physiques » caractérise des actions dramatiques ou
pas[6]. Ou citer, pour la comédie, les *lazzi*, le jeu de la mouche[7].
Des actions sur scène ne suffisent pas à ce qu'il y ait du drame :
il faut qu'elles s'intègrent dans la fonctionnalité, la trame, le
« tissu » dramatique. Qu'est-ce à dire ? Peut-être simplement
ceci : qu'elles doivent s'inscrire dans un rapport de nécessité[8].
Les actions sont dramatiques dans la mesure où elles prennent
place dans *une consécution qui est aussi une conséquence*,
comme le dit Barthes[9] – c'est-à-dire dans la mesure où leur
succession, leur « enchaînement » apparaît comme nécessaire.
Mais encore ? De quelle nécessité s'agit-il ? Nécessaire se dit
d'une action qui est l'effet d'une cause, et donc le lien de
nécessité implique plus généralement qu'elle apparaisse, ou
comme effet d'une cause, ou comme cause d'un effet[10]. Et

---

5. Aristote, *Poétique*, 3, 1448 a 28.
6. Cf. par ex. Dusan Szabo, *Traité de mise en scène, Méthode des actions scéniques paradoxales*, L'Harmattan, 2001, pp. 114 *sq.*
7. Par ex. Dario Fo, *Le gai savoir de l'acteur*, L'Arche 1990, p. 108.
8. Sous ce rapport, la vraisemblance n'est peut-être rien d'autre qu'une nécessité apparente.
9. « Introduction à l'analyse structurale des récits », *op. cit.*, p. 843.
10. Ou l'un et l'autre, bien sûr. *Cf. Poétique*, 1450 b 26-34.

c'est ici le point où je voudrais en venir. Car un rapport de causalité peut, à bon droit, être tenu pour foncièrement *logique*. *C'est un rapport de pensée*, de raison. Retraitant l'argument de Hume, Kant écrit que deux constats successifs, deux faits observables, n'induisent un rapport de cause à conséquence que par une opération de l'entendement[11]. À ce titre, la causalité ne s'offre jamais à la vue comme telle. Elle échappe à *l'opsis*, à l'exhibition théâtrale, n'est jamais un lien qui se donne à nous comme physique. Le lien dramatique est un lien logique. C'est un principe de raison. Je ne comprends qu'ainsi l'idée de Grotowski selon laquelle, dans « le spectacle », le lieu ou le siège du montage est dans la tête du spectateur[12].

Le lien dramatique est de nature logique[13]. Mais il faut peut-être s'arrêter ici encore un instant, s'entêter un peu. Que signifie au juste l'idée qu'une action découle nécessairement d'une autre, ou en entraîne nécessairement une autre ? Ce n'est peut-être pas si simple. À vrai dire, j'ai tendance à penser que le lien est d'autant plus net qu'il se noue hors de la scène. Sur scène, le rapport de nécessité est moins univoque. *Une action en scène a toujours plus d'une conséquence possible.* Ces conséquences sont diverses et même, parfois, contraires. Lorsqu'un agent (un actant, ou au sens ancien un « acteur ») commet en scène une action, il peut en découler des effets multiples. Le devenir, pris à partir de l'événement, est ouvert. Si on admet cette hypothèse – qu'ici je n'argumente pas, mais qu'on pourrait illustrer par d'innombrables exemples pris dans les pièces[14] –, comment

---

11. Par ex. *Prolégomènes à toute métaphysique future*, Vrin 1986, § 20, n. 2, p. 69.

12. « De la compagnie théâtrale à l'art comme véhicule », in T. Richards, *Travailler avec Grotowski sur les actions physiques*, Actes Sud 1995, p. 181.

13. C'est dans cette direction qu'il faudrait peut-être chercher à expliquer le glissement qui fait sans cesse passer de l'analyse « des actions » à l'idée de « l'action ». On peut considérer que cette parenté va de soi mais, si on la regarde de près, elle est assez mystérieuse. Qu'est-ce qui fait que l'ensemble des actions qui ont lieu dans la pièce s'intègrent dans « une » action ? Qu'est-ce au fond que l'unicité (et non l'unité) de l'action ?

14. Que le comte donne sa gifle, qu'Auguste déclare son désir d'abdiquer ou Phèdre son amour sont assurément des événements dramatiques : mais que va-t-il en résulter ? Au moment de l'acte, ce n'est pas décidé. Plusieurs devenirs sont possibles.

comprendre le rapport de nécessité ? Écartons l'explication selon laquelle un personnage ne pourrait commettre qu'un seul acte en raison de ce qu'il est. En bonne rigueur aristotélicienne, l'hypothèse est irrecevable : ce n'est pas l'*ethos* – le caractère – qui fait le drame, mais le *mythos*, c'est-à-dire l'intrigue[15]. Alors, pourquoi y a-t-il de la nécessité, et quelle est-elle ? Voici l'hypothèse qui à moi s'impose. À partir d'un acte, peuvent venir plusieurs conséquences. L'unicité du lien (de cause à effet) n'apparaît donc que *vue à partir de l'effet*, et non de la cause. C'est depuis le point de vue de l'effet qu'on peut décrire la causalité comme nécessaire, c'est à rebours qu'on peut voir ce lien comme le seul possible. Le lien de nécessité exprime *le point de vue de la fin*. Et donc, si l'on se place au lieu de l'action elle-même, on peut n'envisager qu'une conséquence possible, seulement si l'action dramatique est orientée non par ce qui la précède mais par ce qui la suit, son but, son à-venir, son *telos*. La causalité dramatique est téléologique. Le drame n'est radicalement et profondément nécessaire qu'au regard de ce vers quoi il s'achemine. Ce qui détermine l'action comme nécessaire, ce n'est pas l'origine dont elle résulte mais la fin où elle va. La détermination dramatique est essentiellement finaliste. Il n'y a de drame au sens plein, univoque et homogène, que si un enchaînement d'actions est déterminé par son terme.

Peut-être certaines recherches importantes qui ont marqué l'histoire de la dramaturgie confirment-elles cette intuition, de façon plus ou moins visible. Je pense évidemment aux travaux récents de Georges Forestier, qui établissent patiemment, et de façon après tout assez troublante, que Corneille ou Racine construisent systématiquement leurs pièces à partir de la fin[16]. En ce sens, ce que les classiques considèrent comme le sujet

---

15. Question interminablement débattue, on le sait, en particulier dans la postérité allemande de Lessing. *Cf.* par ex. Lenz, « Notes sur le théâtre », in *Théâtre, op. cit.*, pp. 29 *sq.* Il faudrait assurément s'expliquer sur le choix fait ici de la compréhension « française » (mais c'est aussi celle de Brecht) de cette priorité de la fable.

16. Cf. G. Forestier, *Essai de génétique théâtrale, Corneille à l'œuvre*, Klincksieck 1996, et Racine, *Œuvres complètes I*, Gallimard, « Bibliothèque de la Pléiade », 1999.

d'une œuvre dramatique – son thème, ce dont elle parle – est son dénouement. Le sujet de *Cinna ou la Clémence d'Auguste*, c'est la clémence d'Auguste. Or, celle-ci n'intervient que dans les toutes dernières minutes de l'acte V. Donc, selon Forestier, Corneille compose de façon régressive, à partir du dénouement, en remontant d'étape en étape pour établir l'action. L'impression que nous avons, quand une pièce est réputée bien faite, que l'intrigue en est puissamment déterminée par sa progression depuis le début n'est qu'un effet, une illusion construite. En fait, à l'inverse d'un jeu clownesque bien connu, nous avons d'autant plus l'illusion que ça pousse par derrière qu'en vérité ça tire par devant.

Mais il me semble aussi que, de façon moins manifeste, *La Dramaturgie classique en France* de Jacques Scherer corroborait déjà l'hypothèse. Notamment lorsque y est étudié le rapport entre l'action principale et les actions secondaires[17]. Scherer rappelle que, selon les théoriciens classiques, l'action principale est déterminante et l'action secondaire en résulte. Or, l'examen rigoureux des pièces conduit à constater l'inverse : c'est l'action secondaire qui conditionne l'action principale et influe sur elle. L'action secondaire est requise pour apporter une modification au déroulement de l'action principale quand celle-ci n'inclut pas en elle-même les ressorts nécessaires à cette inflexion. C'est dire que l'action secondaire est nécessitée par la finalité, la téléologie qui entraîne l'action principale vers son dénouement. Si, dans une pièce bien construite, on enlève l'action secondaire, l'action principale ne tient plus : elle ne va plus vers la fin qui l'appelle. L'action secondaire est requise comme cause de l'action principale : la fin détermine et convoque l'engagement de la causalité.

Il n'y a de drame que si l'action avance vers une fin qui l'appelle et la détermine. En termes dramaturgiques, l'hypothèse me paraît avérée. Mais si elle est pertinente, une conséquence en découle, de portée plus réflexive : c'est que le drame, *stricto sensu*, n'a qu'une idée – celle du destin. Le

---

17. J. Scherer, *La Dramaturgie classique en France*, Nizet, rééd. 1986, première partie, chap. V, IV, pp. 98 *sq.*

destin est le nom de cette idée selon laquelle nous sommes conditionnés par ce vers quoi nous faisons route, par ce qui nous préexiste comme futur nécessaire et qui est à ce titre prévisible, prédictible – par un avenir qui nous tire en tant qu'il est prescrit, pré-écrit avant et pourtant devant nous. S'il en est ainsi, la logique dramatique est strictement destinale. Le drame est la mise en intrigue d'une pré-destination. Voilà une proposition sur son essence : le drame expose l'intrication logique d'un destin.

3. LA QUESTION

J'en viens alors à la question. Que dire du ou des devenirs de la forme dramatique ? Remarquons que notre hypothèse nous aide à formuler une interprétation, somme toute assez simple, de la crise du drame[18]. La crise procède de ce qu'à partir d'un temps déterminé, dont la datation est possible, les dramaturges, *nolens volens,* ont entrepris de récuser la destination – de bousculer ou de secouer l'emprise de la détermination destinale, et donc de perturber l'architectonique de la raison dramatique[19] elle-même.

Cette inclination, très commune, peut recevoir plusieurs explications. On peut ainsi faire remonter très haut la généalogie de la crise : la destination, la prescription fatale, n'est en fait plus possible – au moins : plus *simplement* possible, son hégémonie est disputée – depuis l'Évangile chrétien, qui n'annonce pas l'emprise d'un destin, mais la surprise d'un salut. La rédemption est l'anti-destin, le destin congédié, bonne nouvelle. Même dans un théâtre dont la matière reste grecque ou gréco-romaine, la *clé* du drame est perdue. Que

---

18. Rappelons que pour Szondi c'est la crise du drame qui nous permet, rétrospectivement, de construire le concept du drame qu'elle met en cause. *Cf.* P. Szondi, *Théorie du drame moderne, op. cit.*, p. 10.

19. J'emprunte cette belle expression à Claire Nancy, qui en use dans un but distinct de celui que je poursuis ici. *Cf.* « La raison dramatique », in *Po&sie* n° 99, Belin 2002. J'y entends également un écho, chez elle peut-être comme chez moi, de l'ouvrage de Michel Deguy, *La Raison poétique*, Galilée, 2000.

peut-il se passer ? Évidemment le drame (comme le christianisme) n'est pas avare d'inventions et de ruses pour reformer le destin destitué, re-mettre en selle le vieux *fatum* tombé à terre. Alors le joug destinal se déplace, se transfère à un autre régime de fatalité que la loi divine – il le faut bien, pour produire du dramatique. Il peut ainsi quitter l'ordre cosmique pour entrer dans l'agencement social : la destination des personnages devient leur inscription dans une société ou une classe – le destin d'un homme, c'est sa naissance. Il se peut aussi que, pour toute une époque, la destination ne vaille plus comme cosmique ni sociale mais comme fatalité intime, destin psychologique, nécessité intérieure. Ainsi se réécrit Œdipe, la prescription œdipienne. J'ai suggéré[20] que le dernier avatar de cette métamorphose est peut-être la destination esthétique, l'inscription dans l'œuvre comme un tout, l'esthétisation de l'unité de l'œuvre prenant en charge l'exigence dramatique de téléologie, ce besoin qu'a le drame de se soumettre à un « c'était écrit ».

Or, même en chacune de ces requalifications successives du destin, le dramaturge ne cesse de vouloir ouvrir le devenir. On peut raconter l'histoire du drame moderne en suivant le fil de cette tendance à toujours défaire un destin qui, dès qu'il est chassé d'un des étiages du récit, se reconstitue sur un autre palier. Au corps défendant de l'auteur ou à sa demande car, redisons-le, ce destin que l'on veut éconduire est aussi ce qui permet d'écrire des drames. Mais le dramaturge n'est *moderne* que par ce désir de prendre en défaut la régie saturante de la destination. Je vois là, par exemple, un éclaircissement de cette énigme qui m'a longtemps troublé : pourquoi les contemporains écrivent-ils, à peu près tous, leurs pièces comme à tâtons, *à partir du début* ? La plupart d'entre eux déclarent avancer dans l'histoire en ne sachant pas où ils vont et, surtout, en ne voulant pas le savoir. Ils refusent de construire par avance, c'est à dire de connaître le déroulement à venir de leurs drames au moment où ils s'y engagent. Ce désir d'imprévisibilité est une caractérisation précise, presque une définition exacte de

---

20. *Cf.* « Entre poésie et pratique », ci-dessus pp. 50-52.

la crise du drame. Et cette in-décision décidée ne peut entrer dans le drame que comme crise puisque s'y marque la rupture du lien de nécessité. Sans que toujours le dramaturge s'en avise, car il croit souvent à la causalité progressive, et pense que la nécessité s'accroche à l'antérieur, au déjà-écrit (en un sens pratique : aux scènes précédentes).

Ainsi entendue, la cohérence du drame est classique et la crise du drame est moderne. Or, la crise est, on le sait, engagée depuis bien longtemps. Cette modernité nous précède de longue date. Où en sommes-nous aujourd'hui ? Qu'écrire après le drame *et après la crise* du drame ? Je n'ai ni le goût ni la capacité de donner à cette question une réponse programmatique. Mais quelques grands auteurs aident à déceler des lignes de devenirs possibles. Prenons trois exemples, trois réponses différentes – qui s'inscrivent dans trois généalogies repérables : épique, chez Novarina, tragique, pour Koltès, cependant que Reza est aux prises avec un devenir de la comédie. Aucun n'écrit d'épopée, de tragédie au sens plein – c'est déprogrammé de nos possibles – ni même exactement de comédie, mais en chacun peut se suivre, avec une netteté surprenante, le fil d'une de ces lignées.

C'est Novarina, me semble-t-il, qui tient et maintient le plus ouvertement le projet anti-destinal, c'est-à-dire anti-dramatique. Cela va de soi pour *Le Drame de la vie* – dont le titre n'est rien moins que fortuit – et d'autres textes de la même époque. On voit à l'œuvre depuis quelques années chez lui, comme chez tous, une certaine re-dramatisation dont les signes sont multiples : réduction du nombre de personnages, organisation d'un dispositif plus dialogué, institution d'une sorte d'action, etc. Sans prétendre qu'il soit factice ou de surface, je crois que ce réinvestissement des structures dramatiques agit sur un plan formel, méta-dramatique si l'on veut, procédant par collage et citation. C'est une sorte de dramatisation de second degré – évidente quand elle s'autorise du modèle de l'opérette[21] –, délibérée, dotée d'une grande force critique. Mais je ne sais la lire que comme dramatisation par ironie. Ce

---

21. V. Novarina, *L'Opérette imaginaire*, POL 1998.

qui n'implique pas que le souci dramatique soit superficiel ou sans portée : simplement, le fond intime reste une rébellion anti-destinale opiniâtre, dont le programme est exposé sans faille dans *Impératifs*[22]. Ce texte énumère des règles, des normes et préceptes de composition : ils s'alimentent presque tous à l'obstination anti-destinale et pulvérisent un à un les éléments du dramatique. Je crois que Novarina s'y tient toujours, avec cette ténacité butée qui fait une part de son génie, même si, dans l'accueil polémique qu'il réserve à son temps, il délivre ses bulletins de campagne dans une forme néo-dramatique.

On voit clairement la divergence avec Koltès. L'auteur du *Retour au désert* est le seul de cette triade à formuler un radical programme de retour, dans lequel s'inscrit un vif désir de retour au drame. La voie qui mène de *La Nuit juste avant les forêts* à *La Solitude des champs de coton*, *Le Retour au désert* et *Roberto Zucco* trace clairement, dans un horizon tragique, la voie de cette odyssée ramenant au désastre. Evidemment, si Koltès n'avait cherché qu'à refaire des pièces à l'ancienne, il serait un auteur sans importance ; il ne l'a pas voulu et ne l'a pas fait. Les grandes pièces de la rupture (et en particulier *La Solitude des champs de coton*) donnent à voir, de manière très troublante, comment ce programme de redramatisation se charge, s'alimente du puissant mouvement anti-dramatique qui l'a précédé, comment l'un et l'autre se fondent en une synthèse sans précédent. Le fait que ce soit dans la dernière période – celle du condamné – que cette orientation se scelle ne laisse pas indifférent. Mais il ne faut pas ici écraser le choix d'écriture sous un déterminisme, sous la prégnance de la mort qui vient. Chez Lagarce, les textes ultimes livrent une écriture commandée par un étrange *congé au tragique* : dans *Le Pays lointain*[23], la fin est sans appel, annoncée, irrévocable – sans que jamais l'auteur n'accepte de la mettre au compte du règle-

---

22. V. Novarina, *Impératifs* [1975-1982], dans *Le Théâtre des paroles*, POL 1989.
23. J.-L. Lagarce, *Le Pays lointain* [1995], dans *Théâtre complet IV*, Les Solitaires intempestifs, 2002.

ment d'une dette fatale. Dans *Zucco*, le malheur pèse depuis l'origine, mène la course. Nous savons maintenant pourquoi : à rebours de ce que Koltès a tant voulu, *Zucco* est écrit à partir de sa fin. Comme dans la tragédie, le sujet, c'est le terme (fatal). C'est la fin (le fait divers) qui fait écrire l'histoire et l'appelle, l'aspire et l'inspire.

Le fait de convoquer, après ces deux imposantes figures, le nom de Yasmina Reza doit sembler ici, à certains, incongru. Or, l'importance de Reza ne me paraît pas avoir été convenablement mesurée. Pour des raisons qui tiennent en partie au problème de la dignité de la comédie en général, et en partie à la profonde singularité de son entreprise. Autour d'elle, les exemples ne manquent pas d'agences néo-boulevardières qui aménagent l'espace d'une comédie réactive, régressive au sens strict : retapent ou réhabilitent quelques équipements dramatiques à l'ancienne – en les aérant plus ou moins talentueusement de courants de l'air du temps. Dans ce paysage elle se détache avec netteté. Car elle est l'auteur qui pose le plus subtilement, ou le plus hardiment, la question du « comment écrire après ? ». Cette question fait exactement le sujet de sa première pièce, *Conversations après un enterrement* (1987). L'enterrement est celui des modernes : de leur lyrisme, de leur grandeur et de leurs ridicules. La pièce demande : que produire, comment vivre autour de cet ensevelissement ? Reza avance une proposition étonnante, qui ne peut être aucunement comprise comme programme de retour au dramatique : ni à la pièce bien faite, ni au futur bouclé. Le mort est un père qui laisse deux frères rivaux. Ceux-ci se disputent l'héritage, et une femme : dispositif dramatique prévisible, ordonné autour de la rivalité mimétique dans sa forme canonique. Or, par une série d'esquives et de dérivations, l'intrigue ne cesse de décommander les conflits au fur et à mesure qu'ils s'annoncent : par ironie, par feinte ou par un simple délaissement. Le drame est là comme une menace qui plane sur tout le temps scénique, et ne cesse de se dégonfler au profit d'autres manigances du désir, de l'affection, ou du partage. Voies sans emphase, qui revendiquent pour elles le programme philosophique contemporain d'investissement du prosaïsme et de l'ordinaire, et s'amusent du drame comme d'un pathétique éconduit. Pour l'anecdote, je dirai ma surprise, lorsque l'interrogeant devant un groupe d'étudiants sur le fait de savoir si elle composait ses pièces à partir de la fin, je me suis entendu répondre par la négative. Désappointé – vu la facture très contrôlée, très construite de ses fables –, j'ai fait la moue : « Alors, vous aussi vous commencez par le début... ». Elle s'est étonnée : « Ah non, bien sûr. Par le milieu, évidemment. » Et de fournir quelques exemples, dont celui de *Conversations*. Pourtant le ton, un peu léger, sans componction, ne semblait supposer aucune fréquentation assidue de Deleuze[24].

Au fond, cette question que vous posez, j'ambitionnerais d'y réagir – sinon d'y répondre – par des hypothèses sur le monde plutôt que par des interprétations encloses dans l'horizon du drame. Car le drame n'est pas son propre horizon : il veut formaliser une certaine raison du monde, et de l'expérience du monde. Je pourrais ainsi distinguer trois positions possibles. D'abord, le portrait de l'ancien ordre, dont nous ne cessons de sortir : celui dont l'expérience s'articule *comme dramatique*. Dans cette première formule, on serait aux prises avec l'ancienne régie de la vie et sa critique, avec le drame et sa crise, et rien ne serait ouvert au-delà. Le plus neuf serait de radicaliser (si c'est encore possible) la critique de l'ancien règne. Position moderne, ou moderniste. La deuxième hypothèse constaterait que la crise de l'ancien monde est épuisée, que nous sommes vidés de toute notre substance et qu'il faut, pour vivre, nécessairement revenir en arrière. Attitude rétrograde, au sens propre. Selon elle, « il faut », pour les programmatiques, ou « il aurait fallu », pour les nostalgiques, pouvoir inverser le sens de la course, repartir vers l'arrière. Mais les mêmes voient en général la manœuvre impossible, la machine lancée sans retour. Rien devant donc, sinon la butée du déses-

---

24. *Cf.*, parmi de très nombreux exemples, *Dialogues, op. cit.* (ci-dessus note 1), p. 50 (« Ce n'est jamais le début ni la fin qui sont intéressants, le début et la fin sont des points. L'intéressant, c'est le milieu. ») Ou encore *L'Image-mouvement*, Ed. de Minuit 1983, p. 11.

poir, la noirceur opaque. C'est évidemment à une troisième position que je voudrais incliner – sans bien savoir si elle n'est pas une chimère. Dans ce modèle, il y aurait eu l'ancien monde, classique, et sa critique moderne – programme historique aujourd'hui accompli. Et il resterait à s'interroger quant à la possibilité d'une nouvelle ouverture. Devant nous, s'ouvrirait la question de l'ouverture d'un temps, d'une raison, et donc d'une écriture dont je ne peux évidemment prédire si elle relèverait encore du « drame », ou pas. Vous comprendrez que cette position requière quelque chose comme un prophétisme (dégrisé, partagé, ordinaire), en appelle à une urgence prophétique. Urgence d'ouvrir vers l'ouvert : d'appeler, quoi qu'on sache ou qu'on ignore, à un avenir imprédictible, indestiné.

Avril 2002-juillet 2003

ACTIONS ET ADRESSES

Qu'est-ce qu'une action dramatique ? Comment caractériser sa nature ? Malgré l'apparence, l'affaire est dénuée de simplicité. En effet, l'action dramatique ne demande pas nécessairement l'effectuation d'un geste, d'une action physique par un personnage. Mais elle peut s'y loger, pourtant : la gifle du Comte, le meurtre de Camille, le coup mortel porté à Mercutio surviennent comme événements corporels, sur la scène[1]. Action de parole alors, acte de langage ? Souvent, en effet – pas toujours. Une action dramatique peut survenir en silence, sans discours prononcé. L'immobilité qui conclut chacun des deux actes de *Godot* : « ESTRAGON. – Alors, on y va ? VLADIMIR. – Allons-y. *Ils ne bougent pas.* »[2], participe de l'organisation dramatique de la pièce, et ne nécessite aucune parole audible[3]. Qu'est-ce alors que l'action – que l'on tient, légitimement, comme l'élément du drame ? Une stimulante

---

1. Corneille, repentant, modifie ce point : le meurtre est renvoyé en coulisse. La structure dramatique de la pièce n'en est pas changée, ce qui confirme que le geste physique, commis sur scène, n'est pas nécessaire à l'action dramatisée.
2. S. Beckett, *En attendant Godot*, Minuit [1952] 1997, p. 75, et (avec attribution inversée), p. 134.
3. On pourrait objecter qu'une non-réponse est un acte de langage. Mais il ne s'agit pas ici d'un refus de réponse, d'un silence-réplique. Si on veut assimiler ce mutisme à un acte de parole, on peut le faire pour tout trait de sens, ce qui dilue la notion et la disqualifie pour définir l'action du drame.

étude consacrée au sens grec du mot *drama*[4] suggère une direction d'analyse. Dans ce travail, Claire Nancy cherche à spécifier l'acception de *drân* parmi les verbes qui disent le faire (*prattein, poïeîn*) – et conclut que ce radical désigne l'action rapportée à l'implication de l'agent, à sa responsabilité : c'est-à-dire au choix, et donc à l'incertitude, devant l'action à commettre[5]. L'hypothèse, notons-le, se décompose en deux propositions liées, mais distinctes. D'une part, le dramatique rapporte l'action à l'agent. Arrêtons-nous un instant sur ce premier point, très suggestif. En effet, selon la distinction bien connue, la *poiésis* est une fabrication qui se réfère essentiellement à l'objet, produit ou à produire, à l'œuvre. Le faire poïétique, comme production, se transfère et s'épuise dans son résultat. Alors que *praxis* désigne une opération qui se rapporte à elle-même, dont l'essence se réfère à son agir propre. À cette distinction aristotélicienne classique[6], il faudrait donc adjoindre un autre pôle. La *poiésis* rapportant l'action à son objet, et la *praxis* la référant à elle-même, *drama* désignerait cette autre sorte de faire qui relierait l'action à l'agent, à l'opérateur qui la soutient et la met en mouvement. On pourrait représenter cette triade par un schéma[7] :

$$\text{AGENT} \longleftarrow \overset{\frown}{\text{ACTION}} \longrightarrow \text{OBJET}$$

$$\textit{drama} \qquad \textit{praxis} \qquad \textit{poiésis}$$

---

4. C. Nancy, « La raison dramatique », art. cit.
5. Art. cit. pp. 114-115.
6. *Cf.* J. Taminiaux, *Le Théâtre des philosophes*, éd. Jérôme Millon, 1995, pp. 7-68.
7. On le voit, je modifie ici la proposition formulée plus haut (« Du drame entre poésie et pratique », ci-dessus pp. 33 *sq.*). Notons au passage que, si l'on reconnaît à ce modèle une pertinence, il faut se demander pourquoi, comme le remarque Claire Nancy, « *drân* ne fait l'objet d'aucune élaboration conceptuelle en grec » – à la différence de *prattein et poïeîn*, qui donnent lieu aux riches constructions de la *poiésis* et de la *praxis*. C. Nancy indique que c'est « pour la bonne raison que le verbe n'admet pas de substantif courant », à la différence de *praxis* et *poiésis*, ou encore *pragmata* et *poiémata*. Indication qui, elle-même, porterait évidemment à la réflexion. Mais ce n'est pas notre objet ici. *Cf.* art. cit., p. 114.

La seconde idée contenue dans la suggestion de Claire Nancy est que ce rapport de l'action à l'agent renvoie celui-ci à un *choix*. Ce qu'elle exprime par le terme de « responsabilité ». Je ne suis pas certain de souscrire sans retenue à cette dernière équivalence, qui à mes yeux porte un risque d'anachronisme, de mirage rétrospectif. Mais la remarque est décisive. Elle caractérise *drân* comme un mode d'agir qui place l'agent devant une alternative (C. Nancy parle d'« incertitude ») – c'est-à-dire qui implique l'agent *en tant qu'il peut ne pas accomplir l'action* considérée. L'action dramatique revient à l'agent qui peut ou pouvait *ne pas la commettre*. En tant que se pose, ou s'est posée à lui la question de la commettre *ou pas*[8]. Il en résulte un effet de première importance quant à la nature de l'action dramatique. Si celle-ci résiste à être saisie comme geste, action physique commise en scène, ou en tant que parole, acte de discours prononcé, ce peut être parce que la pointe, le vif de l'action dramatique tient à un basculement qui opère en amont de tout geste et de toute parole – même s'il les induit ou les entraîne : le choix, l'entraînement ou la chute vers un côté, sur un versant du choix, le fait qu'une des branches de l'alternative devant laquelle l'agent se trouve *l'emporte*. Aux deux sens possibles : un terme est comme victorieux (il l'emporte) ; il entraîne l'agent de son côté (il l'emporte). On peut alors reformuler l'hypothèse : si elle n'est foncièrement ni geste ni parole, c'est parce que, dans son essence la plus intime, *l'action dramatique est une décision*. Le cœur, le nœud de l'action, le drame ou le *drân* contenu en elle et qui en elle se déploie, c'est la résolution, l'arrêt, le décret d'agir ainsi – ou pas[9]. Évidemment, la décision

---

8. J'ai écrit ailleurs (*cf.* « Sortes de futurs », ci-dessus pp. 43 *sq.*), et je continue de penser fermement, que la dramatisation est destinale, et donc que l'action dramatique est *a priori* contrainte par la nécessité d'un destin. Sur l'articulation entre cette contrainte et ce choix, *cf.* ci-dessous, « Raison du drame », pp. 91 *sq.*

9. On peut citer le livre de Massimo Cacciari qu'évoque également Claire Nancy : « *drân*, faire, – verbe *tragique*, par excellence, qui indique non pas le faire dans sa discursivité quotidienne, mais l'instant, l'acmé suprême de la décision, le comble de l'action [...] », même si l'ouvrage, malgré son titre, laisse cette remarque isolée sans développement sur le mot (*drân*), ni sur la question. *Cf.* M. Cacciari, *ΔPAN, Méridiens de la décision dans la pensée contemporaine*, trad. M. Valensi, L'Éclat, 1992, p. 76.

demande à être exécutée. L'action dramatique est à double détente. Une décision reste suspendue tant qu'elle n'est pas mise à exécution. Et cet écart fait un des ressorts du dramatique[10]. Dans ce second temps, on retrouve l'aléa – presque l'arbitraire, à la manière saussurienne – de l'action *décisive* dans le drame : son exécution peut être verbale, gestuelle, défaut de parole ou de geste. Mais l'essentiel reste la décision où l'action s'enracine et qui la constitue : elle est le noyau dont l'exécution fait l'écorce. La décision est l'atome de l'action du drame, son cœur insécable, le centre ou le foyer de sa puissance d'irradiation dans l'intrigue, le *coup* dont l'histoire propage l'onde ou la vibration.

On pourra s'étonner de voir conférer à l'action dramatique une nature à ce point immatérielle, idéale en quelque sorte, une essence arbitrale si antérieure à tout agir physique. C'est pourtant un des bénéfices de cette définition. Car le drame est moins formé des actions elles-mêmes que du lien qui les raccorde, par un ou plusieurs fils. La nature du drame réside dans l'enchaînement, la relation causale (nécessaire ou vraisemblable) qui accroche entre elles les actions selon la double série de la consécution et de la conséquence. Or ce lien est de nature logique, et non corporelle. Le fil dramatique, lien de cause à effet, est une ligne de pensée – non pas une attache observable, visible, *théâtrale* au sens optique du mot. Et un lien logique ne raccorde pas des événements matériels. Un lien logique ne coordonne que des classes abstraites, ou des propositions. C'est dire que la décision convient bien, comme élément nucléaire, à la nature logique de la mise en intrigue. Non qu'elle soit un élément mental, ou intérieur – ceci, vrai ou faux, ne fait rien à l'affaire. Mais la décision est un opérateur logique : l'embranchement, l'aiguilleur qui oriente, dans une alternative, vers un des termes du choix. Il est donc bien plausible que le drame tisse une trame de décisions, plutôt que de gestes, paroles ou gifles. Le lien dramatique, fable ou *mythos*, est déductif : *si* je décide ceci, *alors* il va se produire

---

10. On connaît l'exemple de la décision de Roxane dans *Bajazet* (V, IV).

cela. Ou bien, dans son expression la plus pure : s'il sort, il est mort[11].

Quel rapport entre cette définition et la question du dialogue[12] ? Notre hypothèse veut caractériser l'*élément de drame*, la particule de drame que constitue l'action. Or, une relation profonde associe drame et dialogue. On se souvient que la singularité du drame, dans l'acception que Szondi retient pour ce mot, – et « l'audace spirituelle » dont témoigne historiquement son invention –, auront consisté à « construire la substance de l'œuvre [...] par la seule reproduction des relations interhumaines »[13]. Or, ajoute-t-il,

> « le terrain linguistique où peut être médiatisé le monde de l'interhumain était le dialogue. [...] La suprématie du dialogue et donc de l'échange interhumain du drame indique que celui-ci n'a d'autre matière que la reproduction du rapport entre les hommes et qu'il ne connaît que ce qui brille dans cette sphère.[14] »

Quelle relation peut s'établir entre cette définition du dialogue (élément dans lequel se manifeste l'échange interhumain) et la caractérisation de l'action, de l'atome de drame ci-dessus proposée ?

Tentons de mieux comprendre en quoi consiste le dialogue dont parle Szondi. Il est ce discours qui s'institue dans la relation interhumaine. Qu'est-ce qui se trouve rejeté, ou au contraire retenu par ce critère ? Sont mis à l'écart, aussi bien la *présentation du monde* que la *plongée en soi* – au moins s'ils sont posés comme indépendants de l'entre-humanité qui fait la dialogisation. L'accès au monde : tout déploiement d'un paysage de choses, tout spectacle de l'univers ou d'un monde humain, intrinsèquement épiques, formant le milieu où s'institue la possibilité de l'épopée et de ses avatars. L'expression

11. *Bajazet*, V, III, v. 1456.
12. Cet exposé a été initialement présenté au colloque « Dialoguer, un nouveau partage des voix ». *Cf.* ci-dessous, p. 220.
13. P. Szondi, *Théorie du drame moderne op. cit.*, p. 13.
14. *Ibid.*, p. 14.

pure du sujet : intériorité retournée sur elle même, abîme du soi qui ouvre au lyrisme, expérience que traduit (ou qu'institue) la poésie lyrique comme telle[15]. Ces deux sortes d'expériences et de formes sont extérieures au discours dialogique. Non que le dialogue exclue toute présentation du monde ou manifestation de l'âme – que serait une relation interhumaine pure, vide de tout contenu de monde ou d'intériorité ? Mais le dialogue ne les retient, ne les formule qu'en tant qu'elles s'exposent par et dans la relation interhumaine, qu'elles se donnent à lire dans le tissu d'une entre-humanité où elles apparaissent. Mais encore ? Qu'est-ce que présenter un monde, ou exprimer un âme, *dans la relation interhumaine ?*

Il ne suffit pas de les énoncer : *epos* et lyrisme sont des discours aussi. Le caractère dialogique du discours ne tient pas à ses contenus. Pas plus qu'il ne se fonde dans l'alternance des répliques : un portrait de monde, un chant intime peuvent être dits par des locuteurs alternés, distribués entre des récitants ou choristes qui prennent tour à tour la parole. Ne reste, pour définir le noyau de dialogue, le trait dialogique le plus distinctif, que *l'adresse*. Ni ce qu'on dit, ni la façon de le dire, mais le fait de le *dire à*. Ce n'est pas assez – tout discours est *dit à* : l'adresse est constitutive de tout langage. Et donc le dialogue aussi, peut-être, comme le suggérait Lacoue-Labarthe avant-hier[16]. Mais pour que la dimension dialogique soit avérée, et le concept pertinent, il faut en outre que ce discours « adressé à » le soit à quelqu'un, ou quelque chose, en puissance de parler aussi, en capacité de réponse[17]. L'entre-humain, le dialogique sont l'ouverture à cette puissance même. L'interlocuteur, en scène ou dehors, peut répondre ou se taire, c'est autre chose. Le monologue est, ou peut être, fortement dialogique aussi. Mais n'est dialogue que cette parole adressée

---

15. *Cf.* par ex. Hegel, *Cours d'Esthétique*, III, trad. J.-P. Lefebvre et V. von Schenck, Aubier, 1997, pp. 300-301.

16. Au cours du « Dialogue sur le dialogue », tenu avec Jean-Luc Nancy en Sorbonne le 24 mars 2004, dans le cadre du même colloque. *Cf.* ci-dessous p. 220.

17. « L'*activité* du dire dans le dialogue est *ipso facto* la passivité de l'écoute, la parole dans sa spontanéité même s'expose à la réponse. » E. Lévinas, « Le dialogue », in *De Dieu qui vient à l'idée*, Vrin [1982] 1998, p. 226.

à un entreparlant qui l'écoute, en tant que celui-ci pourrait retourner l'adresse par une adresse en retour : la puissance de réponse est le transcendantal de l'adresse[18], l'a priori qui fait émerger en tout discours la vertu dialogique. Le destinataire de la parole dialoguée est un être de parole, et donc, à certains égards et en un certain sens, un humain. Même un dieu est humain à cet égard et en ce sens-là. L'entre-humanité, s'exprimant comme entreparlement d'acteurs d'un drame, est cette parole adressée à un autre sur ou depuis la scène, qui sur ou à la scène peut, a priori, répondre[19].

Admettons un instant cette hypothèse : le noyau, l'élément du dialogue, son trait distinctif, serait donc l'adresse (en attente de réponse). Et revenons à la thèse szondienne, selon laquelle drame et dialogue entretiennent une relation tendue, qui fait du dialogue le discours électif du drame. Ce rapprochement conduit à la question que voici : en quoi l'action (dramatique) et l'adresse (qui sollicite et attend) sont-elles liées ? Qu'est-ce qui met l'action en puissance d'adresse (et de demande), et l'adresse (du dialogue) en demeure d'agir ? Ici notre vue de l'action comme *décision prise* peut nous être utile. Du côté de l'action, d'abord. Que l'action dramatique soit une décision n'en fait pas un événement psychique, un fait mental ramassé dans l'âme du sujet. Elle ne met pas l'agent aux seules prises avec lui-même, avec son intériorité – pas plus qu'elle ne noue directement le rapport de l'agent et du monde, comme une action d'épopée. La décision dramatique est ce qu'on pourrait

---

18. Ajoutons ici, par relative digression, que ce dernier énoncé devrait enrichir la théorie de l'adresse au public. Même dans le cas, intéressant à cet égard, du *Discours aux animaux* de Novarina. Mais le dialogue repose sur la convention que le public ne répond pas, et que donc le répondant ne peut être que sur scène. *Cf.* ci-dessus, pp. 16 *sq.*, et note 19 ci-dessous.

19. On voit en quel sens ce trait peut être distinctif du dialogue : la parole oratoire est fortement adressée aussi, mais (par convention sans doute) elle ne suppose pas l'ouverture à une réponse possible de ses destinataires, sinon de façon formelle, factice (« rhétorique », comme dit une expression courante) : le public qui écoute le discours, et vers qui se porte sa rhétorique de l'adresse, n'est pas supposé y répondre. Le répondant du dialogue est une singularité parlante – et non une foule, ni une institution. C'est un partenaire, un interlocuteur. Ce qui ne signifie pas qu'en un sens plus radical, transcendantal si l'on veut, le public à qui une parole est adressée ne soit pas en puissance de réponse aussi. Mais d'une autre nature.

appeler une *décision devant*. Ce qui en fait un noyau du drame, et la pose comme nœud de l'action, est d'être prise *devant* un, une ou des autres humains. C'est une décision posée sous le regard ou la pensée d'un, d'une, ou des autres, et qui donc leur est ainsi présentée, soumise. L'action dramatique se soumet à la présentation. Par elle l'agent ne se réfère pas à son âme, ou à son seul monde – au monde comme *son* monde. Cette résolution où se fait l'action dramatique est posée, déposée, au devant d'un autre, à lui livrée ou délivrée comme un message, un envoi, une livraison. Ou, pour le considérer en sens inverse, l'adresse qui fait le dialogue n'est ni l'adresse d'une information touchant le monde, ni l'exposition d'un tableau d'intériorité. C'est l'envoi d'une décision prise, et qui ainsi la pose, la constitue, comme décision *prise devant*.

La *décision devant* appelle une réponse, et par là sans doute se pose comme ayant à répondre à son tour, de son acte, devant la réponse qu'elle aura appelée. L'intuition de Claire Nancy rapportant l'action à une responsabilité est juste – si responsabilité s'entend non au sens procédurier, mais dans cette acception élémentaire. Jeu d'envoi et d'appel à la réponse et à y répondre – le dialogique comme tel. Poser la décision devant un autre, la lui livrer ou délivrer, requiert et sollicite d'avoir à répondre sur ce qu'il nous en demandera. Cette délivraison est une déposition, une pose dessous : sous le regard, la parole, l'enquête. C'est ce qui fait de l'action dramatique un mode très particulier de l'action. Il ne suffira pas de la décrire comme un temps, un suspens d'une chaîne plus longue, un anneau de l'interaction. Il ne s'agira pas seulement, comme y invite Taminiaux, de la penser comme ligne sans origine et sans fin, fil d'une continuation sans termes où toute action n'est que moment d'une interaction en cours. Car ceci, Taminiaux le montre, est le mode de la *praxis*. Et *praxis* et *drama*, même liés, sont à penser dans leur distinction. L'*action devant* ne se réduit pas à ceci qu'une action en entraîne une autre ou répond à une action qui l'a précédée. Quelque chose de plus creusé s'engage dans le *devant* dont il s'agit là, et qui ne ressortit pas essentiellement au mode de la réaction, ou de l'interagir. La décision y est ouverte, livrée. Déposée, ex-posée. Et cette déposition, livraison, sub-mission est précisément l'*entre* de l'entre-humanité qui fait le dialogue, dont l'invention constitue « l'audace spirituelle » que Szondi découvre à la naissance du drame.

Dans un texte difficile, intitulé « Le dialogue »[20], Lévinas propose de celui-ci une caractérisation singulière, ressortissant à « une philosophie du dialogue », qu'il oppose à « la tradition philosophique de l'unité du Moi ou du système ». Philosophie nouvelle, marquée par les noms de Buber, Rozenzweig, et Gabriel Marcel[21]. La tradition philosophique fonde le sens, et le sensé, dans la structure d'un savoir. Que celui-ci soit intelligible ou sensible, connaissance discursive ou perception, théorie ou expérience, il articule toujours la saisie d'un pensable dans l'unité d'un pensant. Savoir d'un monde ou savoir de soi (comme conscience), sa validation du sens s'organise dans une structure fixe, qui fait naître tout sens dans l'écart et la conjonction entre un sujet et un objet. Or, à la suite de Buber, Lévinas veut arracher la relation dialogique à cette position subjectivante et objectivante à la fois. Pour Buber, le *Je-Tu* est une structure fondamentale, un « mot fondamental », essentiellement distincte de la relation *Je-Il*, ou Je-ça. Le Il, ou le ça, n'est pas une troisième personne qui se loge au côté des deux premières. C'est une autre position du sens. Le Je-ça structure un savoir : pose d'un sujet devant un monde, qui noue leur lien comme connaissance. Alors que le je-tu excèderait, pour tout dire transcenderait cette topique du savoir ou de l'expérience d'un monde par un moi. Le je-tu ne serait pas une modalité de la connaissance : on ne se rapporte pas à un tu comme à un objet connaissable. Le je-tu désignerait une fracture, un excès par rapport à toute connaissance ou tout savoir possible. « Il y aurait dans le dialogue, dans le Je-Tu, au-delà de la spiritualité du savoir *comblé* par le *monde*, l'ouverture de la transcendance »[22].

---

20. Et qui porte pour sous-titre « Conscience de soi et proximité du prochain », in *De Dieu qui vient à l'idée, op. cit.*, pp. 211-230.
21. *Op. cit.*, p. 211.
22. *Ibid.*, p. 221.

Relions cette approche à notre réflexion précédente. En termes génériques, le Je-ça décrit exactement le face-à-face d'un lyrisme du sujet et d'un *epos* du monde. À suivre Lévinas, on ne conçoit plus alors, à la manière hégélienne, le drame comme synthèse dialectique du premier et du second. Le drame n'émerge plus comme dépassement ou relève unifiante des deux poésies, épique et lyrique. C'est tout autre chose. C'est l'autre genre, *le genre de l'autre*. Le genre de l'entre-humain dont parle Szondi (qui use d'autres outils, bien sûr). Le dialogue peut, moins que jamais, se définir par l'alternance des paroles, la répartition d'un texte. C'est d'adresse qu'il s'agit : de l'ouverture à l'autre, à ce Tu qui naît dans le langage, et dont le langage naît. Le dialogique, c'est la transcendance de l'adresse, outrepassant toute saisie d'objet : écoute, ouverture, livraison et délivraison de soi à la présence et à l'écoute. « Le dialogue n'est donc pas qu'une façon de parler. Sa signification a une portée générale. Il est la transcendance. Le dire du dialogue ne serait pas l'une des formes possibles de la transcendance, mais son mode originel. Mieux encore, elle n'a de sens que par un Je disant Tu. Elle est le *dia* du dialogue.[23] » Il en résulte une conséquence qui touche notre objet – le lien entre l'adresse et l'action elle-même. Car ce qui vaut pour le langage vaut ici pour l'action, et la décision qui en constituerait le noyau. La décision-devant, dont je parlais plus haut, serait ainsi *un autre mode d'action* que la décision prise pour soi ou devant le monde – que l'action épique, achilléenne ou odysséenne, faiseuse ou défaiseuse de monde. C'est une autre action que celle qui agit sur un dehors pour manifester un rapport à soi – ou l'inverse. C'est une *action adressée*. Non une interaction, pure pratique – ni une action en chaîne, cycle réactif, échange et circulation d'actions en circuit. La dimension de livraison, de déposition, d'exposition fait l'ouverture de la transcendance, et on pourrait dire de l'action ainsi délivrée qu'elle est une action de grâce. Une action ouverte et offerte à l'altérité radicale qui se troue devant elle comme ce Tu à quoi elle s'expose.

---

23. *Ibid.*, p. 225.

Et pourtant. Nous sommes parvenus en un point où le constat de cette « audace spirituelle » qui porte, et que porte, l'invention du drame doit être, peut-être, retourné. Si contracter toute expérience sur l'espace de l'entre-humain a constitué une innovation hardie et bénéfique – parce qu'aucun monde ne se montre à nous sans une humanité qui le tienne, aucun réel ne nous arrive sans humains qui le convoquent et le donnent à lire – nous en venons à soupçonner, désormais, que cet exclusivisme de la relation humaine, cet *humanisme intégral*[24] porte aussi un risque d'appauvrissement, une menace. Nous risquons de nous rendre pauvres en monde, comme l'est le dialogue. Nous sommes en péril d'un monde appauvri dans notre pensée, dans notre paysage de pensée. L'intégralisme[25] de l'humain menace de nous fermer à l'épreuve du monde comme terre, demeure paysagée, efflorescence ou arborescence de vivants, résidence d'animaux et de corps non-humains. Le non-humain nous requiert comme une partie de notre force, de notre vitalité-même, comme force vivante qui dispose notre demeure et notre habitation. Notre maison – notre nature – demande une amitié qui excède ce tout-humain que veut le dialogue. Nous sommes peut-être requis par un outre-dialogue, un ultra-dialogue où livraison, écoute et appel se verraient poussés au-delà de la circonscription de l'humain. C'est affaire de survie, de vie, de vie outre la vie. Il ne s'agit ni de mépriser l'humain ni de le délaisser – ni d'un détachement ni d'un abandon du dialogue. Mais de pousser le dialogique, comme l'humain, à des requêtes aujourd'hui vitales : à cette ouverture outre l'humain, ouvrant l'humain à un nouvel accueil dans et de son habitation. Le dialogue pauvre en monde, confiné à l'espace de la scène comme forclusion du monde, n'y suffira plus. Si s'annonce ou se demande un nouveau partage des voix, c'est pour y faire entendre une distribution plus large, avenante aux voix plus qu'humaines du

---

24. Pour reprendre en la détournant une formule de Maritain.
25. Au sens où, en italien, *integralismo* traduit ce que nous appelons fondamentalisme.

vivant, aux autres voix et bruits du vivant qui résonnent dans la demeure des hommes.

Et il nous faut peut-être retourner l'interrogation sur le cœur du drame lui-même. Car il reste à se demander si, pour s'ouvrir à l'autre humain qui fait l'homme, voire pour *laisser le passage* à l'au-delà de l'humain qui tisse la demeure des hommes et les tisse aussi (ourdit par exemple leur corps comme trame de nature, texture de vivant, tissu végétal et animal qui fait le non-homme de l'homme et l'accueille dans la nature), si pour frayer le pas à cet humain plus large que la circonscription close de l'entreparlement du dialogue, il faut (et il suffit d') en référer à une *décision*. Si la décision congrue avec l'ouvert. Il est possible que « la raison dramatique » institue l'acte humain comme décision. Et que, de cette raison décisionniste elle-même, il s'agisse aujourd'hui de s'émanciper. Forme intégralement dialoguée du drame et structure décisionniste de la liberté jouent peut-être une partie commune qu'il serait temps de *finir*. Ce que le drame nous impose : cette imputation du sujet comme *sujet de la décision* – voire *théâtre de la décision*, *scène de décision*. Ce qui, peut-être, veut être désormais outré, excédé. Aucun délaissement du drame, aucun abandon ni dynamitage : il s'agit de son ouverture, de son outrepas jusqu'à l'ouvert qui le dispose à accueillir plus que l'humain en lui. Le drame humain clos sur lui-même appelle désormais un outre-dialogue qui livre, dépose et délivre l'humain, l'ouvre à son excès avenant.

Mars 2004

RAISON DU DRAME

Le drame a sa raison : il est soutenu par un certain type de calcul logique, qui le porte et qu'il exprime. Je cherche à sonder cette puissance de jugement : les classes d'objets qu'elle agence, et la syntaxe qui les lie[1].

1. LOGIQUE DU DRAME

La première caractérisation de la logique qui tient le drame se trouve dans la *Poétique* d'Aristote. On peut y lire que « la tragédie est la représentation d'une action [...] qui forme un tout (*holès*) », ce que le philosophe commente ainsi :

> « Un tout, c'est ce qui a un commencement, un milieu et une fin. Un commencement est ce qui ne suit pas nécessairement autre chose, mais après quoi se trouve ou vient à se produire naturellement autre chose. Une fin au contraire est ce qui vient naturellement après autre chose, en vertu soit de la

---

1. L'idée de formuler la question en termes de rationalité m'est venue à l'écoute d'une conférence de Claire Nancy au Centre de Recherches sur l'Histoire du Théâtre de l'Université de Paris-Sorbonne (Paris IV), donnée à l'automne 2001. *Cf.* « La raison dramatique », art. cit. Comme je l'ai indiqué ci-dessus (n. 19, p. 47), le beau titre de son texte – et donc, par contrecoup, celui du présent chapitre – fait écho pour moi aux recherches récentes de Michel Deguy (*La raison poétique*, Galilée, 2000). De celui-ci, *cf.* également la conférence à paraître, évoquée ci-dessous (p. 145, note 96).

nécessité soit de la probabilité, mais après quoi ne se trouve rien. Un milieu est ce qui vient après autre chose et après quoi il vient autre chose[2]. »

Ces lignes posent, entre les composants d'une action, un certain rapport qui constitue celle-ci comme complète[3], ou formant un tout. Ce rapport unit deux sortes de liens : « venir après » et « suivre nécessairement ». C'est ce que Barthes appelle *confusion entre consécution et conséquence*[4], et que notre texte pointe ici avec précision par l'usage du terme « naturellement » : la consécution est aussi une conséquence, quand une action « vient naturellement après » une autre[5]. En général, nous appelons « actions » ces éléments de l'histoire, et « action » aussi, au singulier, l'histoire qu'ensemble ils composent. Comment différencier les deux acceptions du mot ? Suggérons ceci :

1. La tragédie est *mimèsis praxeôs*[6] : imitation d'une action. Mais l'action est désignée ici comme *praxis*. La *praxis*, nous a rappelé Taminiaux, n'a ni origine ni fin, s'interpose comme interaction, filant une série d'actions qui répondent toujours à d'autres actions qui les précèdent[7]. L'opération instituante du drame serait alors, au contraire, de construire cette action comme un tout, de lui assigner un départ et un achèvement : cette transformation convertirait une *praxis* en *drama*. La totalisation qui fait le drame appellerait donc a) à couper l'attache entre l'action choisie comme début et ce qui la précède (à l'instituer en origine, en *archè*) ; b) à dénouer symétriquement le lien entre l'action qui sera élue comme terme et tout ce qui la suit (à la constituer comme

---

2. 7, 1450 b 23-32. Trad. Dupont-Roc et Lallot, Seuil, 1980, p. 59.

3. C'est la traduction de Barbara Gernez : *Poétique*, Les Belles Lettres, coll. « Les classiques en poche », 2002, p. 29.

4. R. Barthes, « Introduction à l'analyse structurale des récits », *op. cit.*, p. 843.

5. Dans le récit des enfants, par exemple, cette conjonction (cette confusion productrice) s'exprime souvent par le mot *alors* : le loup est entré, et alors il l'a mangé(e). C'est à la fois *après* et *donc*. La question : *et alors ?* demande à la fois ce qui suit, et ce qui résulte d'un fait que l'interlocuteur vient de rapporter.

6. *Poétique*, 6, 1449 b 25.

7. J. Taminiaux, *op. cit.*, pp. 21-22.

fin, achèvement, *télos*) ; et c) entre ces deux bornes, à tisser toutes les consécutions comme autant de conséquences – à saturer l'espace médian de causalité. Cette triple institution fonderait le *drame*. Action certes, système d'actions, agencement de faits : mais aussi structuration de ce régime de faits en construction dramatique – mutation des *pragmata* (les faits) en *dramata* (les actions dramatiques).

2. Entre les actions, ainsi dramatisées, se fixe un lien *causal*. Or le concept de cause est ce que Kant appelle « un concept pur de l'entendement ». La perception nous donne des constats, des faits d'observation : par exemple a) le soleil éclaire la pierre, b) la pierre se réchauffe. Mais pour pouvoir dire « Le soleil échauffe la pierre » (c'est *parce que* le soleil éclaire la pierre que celle-ci se réchauffe), il nous faut faire appel au concept de la cause, qui n'est pas contenu dans le jugement de perception, *qui n'est pas un fait accessible à la perception*, une donnée sensible[8]. La relation de cause à effet est un rapport logique. Il en résulte pour nous que, le drame étant constitué par cette relation, la dramatisation étant le fait même de poser ou supposer ce lien de cause à effet, et de constituer ainsi des faits en actions dramatiques[9], on peut et on doit dire que le drame est l'effectuation ou la disposition d'un lien de nature rationnelle. Rien de perceptible, de visible, dans le dramatique comme tel. *Rien de théâtral, donc*, si théâtral désigne ce qui est montré, offert au regard, donné à la vue. La scène du drame est un espace de pensée.

3. Cette articulation éclaire la distinction entre une action dramatique et le fait qu'elle capte et transforme. Car cette différence pourrait sembler externe : l'action étant prise dans des connexions qui manquent au fait, ou qui ne lient les faits entre eux que de façon partielle ou aléatoire – alors que le lien

---

8. E. Kant, *Prolégomènes à toute métaphysique future qui pourra se présenter comme science*, trad. L. Guillermit, Vrin, rééd. 1986, p. 69 et n. 2.

9. Et d'insérer cette chaîne d'effets et de causes dans un ensemble fini, achevé (*teléias*, 1450 b 26) : doté d'une fin, et d'un début qui lui réponde – constitué comme un tout. Une chaîne causale in-finie ne serait pas dramatique. C'est en ce sens que *les actions* du drame sont toujours éléments *d'une action*, d'un ensemble clos, par ce qui pourrait s'appeler loi de l'unicité de l'action.

d'une action à l'autre est supposé nécessaire, saturé de nécessité. On voit désormais que cette différence entre le fait et l'action dramatique est plus profonde, intrinsèque : car l'action, constituée comme telle par sa situation dans un lien de pensée, est un objet de pensée aussi. Elle est un élément logique, le terme d'un rapport intelligible. Alors que le fait, lui, peut-être considéré comme comportement pratique, aux déterminations multiples, parmi lesquelles des éléments physiques, observables – et donc éventuellement théâtraux, scéniques. L'action est le moment d'un *raisonnement*, la pièce d'une intrigue raisonnée, le composant du système du *mythos*. Le fait, séquence pragmatique, est théâtralisable, descriptible comme composition de gestes visibles, de mouvements du corps. Dans sa multiplicité d'événement, il peut être traité comme jeu de scène. L'action, ourdie d'un fil de pensée, est un point, un nœud dans une trame de raison.

2. Avenues de la décision

Nous pouvons maintenant tenter d'approcher d'un peu plus près la nature de l'action dramatique. En effet, il résulte de ce que nous venons de dire qu'elle est très différente du jeu de scène. Celui-ci a une réalité physique, pratique, dont l'action dramatique est, dans son noyau essentiel, démunie. Toute une tendance récente, qui enquête sur les *actions physiques*[10] – ou parfois les « actions scéniques »[11] – veut penser une ligne de jeu ou un fil de mise en scène, autonomes, distincts de l'action du drame. La « méthode des actions physiques » propose au comédien une narration seconde, un fil scénique, physique, gestuel, qui dialoguerait avec l'intrigue dramatique. Non pas son extériorisation directe – il ne s'agit pas seulement d'exprimer visiblement les actions dramatiques, mais de constituer

---

10. *Cf.* A. Vitez, « La méthode des actions physiques de Stanislavski » [1953], in *Écrits I, l'Ecole*, POL 1994, pp. 21-33 ; T. Richards, *Travailler avec Grotowski sur les actions physiques, op. cit.*
11. *Cf.* D. Szabo, *Traité de mise en scène, Méthode des actions scéniques paradoxales, op. cit.*

un *autre régime d'actions*, une autre ligne de récit, autonome, dont l'*écart* avec le drame aide celui-ci à trouver une vie sur la scène. Incarnation si l'on veut, du dramatique dans le scénique, le physique, le gestuel : mais ce corps a sa vie, cette narration agence un discours singulier.

L'action dramatique n'est donc pas une action physique, un geste fait en scène. Et cela se voit : souvent, l'action ne consiste en aucun comportement physique déterminé[12]. Sauf l'action physique de parler, l'acte de la profération ? Il ne semble pas non plus que l'action du drame puisse être définie comme acte de langage. Que Rodrigue tue le comte, c'est assurément une action dramatique dans l'intrigue du *Cid*. Mais ce n'est pas un acte de parole. Il ne nous parvient en scène que dans un vêtement de langage : mais l'action est bien que le comte soit tué en duel par Rodrigue, et non que sa mort soit annoncée par Don Alonse[13]. Ni action physique, ni acte de langage : on peut bien se demander quelle nature exacte définit l'action, l'élément simple de la syntaxe du drame.

Dans une analyse consacrée au sens grec du mot *drân*[14] Claire Nancy suggère que ce terme se singularise, parmi les autres verbes qui désignent le faire, en ce qu'il vise un agir impliquant l'agent, rapporté à lui sur un mode déterminé : celui du choix. *Drama* serait cet acte qui désigne l'agent se trouvant devant une alternative, une possibilité double – ce qui engage sa liberté ou sa responsabilité. Suspendons, provisoirement au moins, ces références judiciaires ou morales, pour en rester au plan descriptif. À suivre cette hypothèse, *drama* désignerait l'action qui se rapporte à l'agent *en tant que celui-ci peut ne pas la commettre*. L'action dramatique serait donc, essentiellement, le lieu d'une bifurcation, toujours impliquant celui qui peut l'accomplir, l'effectuer – ou pas. On touche alors au noyau, au cœur de l'action dramatique en la caractérisant comme *décision*. L'action intégrée dans le drame, c'est la résolution de faire ceci, plutôt que de ne pas le faire. Définition

---

12. *Cf.* « Actions et adresses », ci-dessus, p. 79.
13. II, VII.
14. C. Nancy, « La raison dramatique », art. cit.

qui s'accorde au mieux avec le caractère *logique* que nous avons reconnu à la syntaxe dramatique. La décision est un sélecteur ou un aiguillage, qui entraîne sur une voie de consécution, et de conséquence, plutôt que vers une autre également possible au même point d'une arborescence logique donnée. Opérateur logique, la décision s'inscrit naturellement dans une syntaxe raisonnée.

Ce qui entraîne une vue désormais plus précise de l'agent lui-même. Car celui-ci (« l'actant » du drame, « l'acteur », en un certain sens[15]), apparaît doué de deux caractéristiques. D'une part, il se constitue *à partir de l'action* comme l'instance qui sélectionne sa possibilité. L'agent est celui *qui fait cela* – plutôt qu'autre chose, ou rien. Mais en second lieu – et l'affaire a sans doute ici une certaine portée – le drame détermine l'agent comme *sujet de la décision*. Il nous faudra peut-être considérer désormais que le drame est solidaire de ce dispositif de rationalité qui intronise le sujet de la décision, ou, pour être plus précis, qui instaure le sujet *comme* sujet de la décision– comme théâtre ou scène de la décision. Solidaire, et peut-être même un peu plus que cela : constitutif peut-être, en tant qu'il en construit ou instruit la face narrative, le mode dialogique. La raison du drame prend dès lors sa figure théorique consistante : c'est la raison décisionniste, comme telle. La raison dramatique est la rationalité du décisionnisme – que l'on considère le drame comme instituteur de la raison décisionniste, ou le décisionnisme comme dramatisation. L'un et l'autre se valent : dramatisation et décisionnisme sont les deux faces d'une même figure de rationalité.

3. DE LA DESTINATION

Entre les deux premiers résultats présentés ci-dessus, on peut voir une contradiction. Le système dramatique des actions, ai-je dit, est saturé de nécessité : de rapports inéluc-

---

15. Au sens classique, bien sûr, et non pas en tant que comédien. *Cf.* ci-dessous, « De Proust à Novarina : les actes des acteurs », pp. 76 *sq.*

tables entre des causes et leurs effets. J'avance maintenant qu'en chaque point de l'histoire intervient un choix, une alternative entre deux possibilités distinctes, ou inverses. Il faut donc bien supposer en chacune de ces phases logiques une sorte d'indétermination, faute de laquelle le choix est nul – indétermination qui semble déroger au principe de causalité saturante, universelle, de la rationalité dramatique. Le principe de raison dramatique peut, comme l'autre, s'énoncer ainsi : rien n'est sans raison – sans cause active, sans nécessité. Il rend possible la fonctionnalité narrative intégrale, qui fait l'horizon de tout récit articulé, et s'incarne mieux dans le drame (que, par exemple, dans le roman) du fait des resserrements et contraintes de l'énonciation dramatique : la scène, le dialogue[16], les limites de la représentation. Si un agent se trouve, à chaque moment de l'intrigue, devant une décision à prendre, ouvrant deux possibilités distinctes[17], l'indétermination ainsi mise en jeu paraît bien rompre avec la causation généralisée que requiert la fonctionnalité narrative, et donc la raison dramatique.

Regardons-y de plus près. Et pour cela, situons-nous en un point quelconque de l'histoire, que nous désignerons ici comme point 1. Deux possibilités s'y ouvrent devant l'agent concerné : commettre l'action *A*, ou ne pas la commettre – éventualités qu'on peut noter *A* et *non-A*. Si l'agent choisit *A*, il se trouvera conduit, de façon nécessaire, en un point 2 où s'ouvrira un nouveau choix, entre *B* et *non-B*. L'action *A* mène au point 2, par un ferme lien de cause à effet. *Non-A* eût entraîné notre agent, de façon tout aussi nécessaire, vers le point 3, autre embranchement induisant le choix entre *C* et *non-C*. En chaque point, deux directions sont possibles, menant chacune, nécessairement, à un point ultérieur où un nouvel embranchement s'ouvre, ce qui par divisions successives produit un schéma classiquement arborescent :

---

16. Sur ce point, *cf.* ci-dessus « Actions et adresses », pp. 79 *sq.*
17. Deux : ou plus, en principe. Mais il se pourrait bien que la logique dramatique favorise activement le deux : oui ou non, A ou non-A – pour des raisons dialectiques qui devraient être analysées.

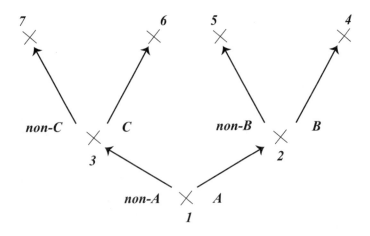

L'ouverture du choix, l'indétermination inscrite à chaque articulation dégage un grand nombre de possibilités de récit, une arborescence qui, si on la développait au-delà de ce schéma minimal – par exemple en l'appliquant à la dramaturgie d'une pièce donnée –, se montrerait vite très riche. En quel sens dire alors qu'une causalité univoque contraint le développement narratif à emprunter un seul de ses cours ? L'affirmation est fausse, du point de vue d'un observateur situé au point 1, *c'est-à-dire avant l'action*, qui attend de voir se produire A ou non-A. Pour des raisons qui apparaîtront ci-dessous, nous pourrions appeler cet observateur-ci, par exemple : un spectateur. Pour lui, posté en ce point, le développement de l'action est ouvert et la nécessité, à cet instant, suspendue. En revanche, l'unicité, l'univocité du parcours devient incontestable si l'on examine le cours de l'histoire du point de vue d'un observateur posté au point 2 (ou 4, etc.), c'est-à-dire *après l'action*, et qui sait donc qu'en ce point l'agent *a choisi* A (puis B, etc.), et non pas les possibilités contraires qui successivement se sont présentées à lui. Appelons cet observateur-là : l'auteur. Pour lui, le cours du développement est unique, sans branches latérales, sans failles : il a eu lieu. Ainsi, l'enchaînement des actions suit un fil univoque, quand on le considère *non pas du point de vue de la*

cause mais du point de vue de l'effet. C'est en regardant le processus *depuis l'effet* que la cause apparaît unique et contraignante, en tant qu'elle se montre comme n'ayant ouvert qu'un seul cours de l'histoire. En d'autres termes, la causalité dramatique engage une raison d'après-coup : c'est un système de contraintes finalistes, qui ligotent le développement à partir de son point d'aboutissement, et non depuis son point de départ. En celui-ci, l'agent est posé comme libre de faire l'action, ou pas – faute de quoi il n'y a pas de drame. Mais dans l'après-coup, l'action étant vue depuis ses résultats, *nul ne peut faire que ce choix n'ait pas eu lieu.* Même Dieu ne peut rien contre le passé. Vu de son terme, le devenir a une forme unique. La causalité dramatique est univoque en tant seulement que régime de causes finales. La raison du drame est téléologique.

La distinction pourra sembler formelle, voire sophistique. Elle prend son relief si on la rapproche d'analyses récentes en dramaturgie génétique. Georges Forestier a montré en effet que les classiques composent leurs pièces à partir du dénouement. Leur travail développe un « sujet », emprunté à des sources, souvent anciennes. Or le « sujet » du drame, dit Forestier, c'est son dénouement. Ce que Racine, Corneille ou tant d'autres trouvent dans la chronique ou les légendes, c'est d'abord un fait, qui prendra place à l'extrême fin de la pièce à écrire. Le sujet de *Bérénice*, la répudiation de la princesse par Titus, viendra au terme de l'œuvre de Racine. Pour l'auteur, ce terme est un point de départ dans le travail de construction. La composition procède alors de façon régressive, remontant depuis la fin vers le début. Mais comment remonter ? Il ne suffit pas de relier chaque événement à sa cause efficiente, située en amont. *Il faut produire des situations de choix,* c'est-à-dire, exactement : dramatiser. La dramatisation consiste à construire des dilemmes, devant lesquels chaque agent est libre, dramatiquement libre, mais dont l'auteur sait l'issue[18]. C'est pourquoi ce qui est indéterminé *pour le*

---

18. *Cf.* sur ce point précis G. Forestier, « Introduction » à Racine, *Œuvres complètes I*, (Gallimard-La Pléiade, 1999), pp. XI-LVII, et en particulier p. XLII.

spectateur, c'est-à-dire en chaque point de choix (en chaque *situation*), est saturé de causalité pour l'auteur – classique, au moins[19] –, qui connaît l'après-coup, l'effet de la décision prise. La raison dramatique articule exactement ce lien entre autonomie et finalité. Elle est le système tendu de cette liberté sans fond (faute de laquelle le drame perd ses situations), et de cette contrainte sans faille (hors de quoi il perd sa logique). La raison du drame est le jeu de cette liberté irréductible, et condamnée.

En termes métaphysiques ordinaires, ce nœud est celui d'un libre-arbitre avec un destin. La causalité dramatique est puissamment *destinale*. Une présupposition la porte, une hypothèse, un axiome, qui veut que nos vies soient orientées, leur chemin tracé par une injonction émise depuis l'avenir. Capture de nos décisions par la fin vers où elles s'avancent. Destination qui paradoxalement préexiste à nos actes, bien qu'elle leur soit postérieure selon le cours des choses. La fin vers où nous marchons nous précède comme contrainte, elle est ce futur qui nous attire et nous happe, archi-futur devançant nos devenirs. *C'était écrit.* Notre futur est au passé. La raison dramatique est l'ensemble des opérateurs qui forcent une ligne d'actions à trier les voies vers une fin qui transcendantalement les précède. Elle est un chemin de nécessité. Ce pourquoi sans doute le drame entretient un rapport privilégié avec la mort. Si la mort est cette fin vers quoi tout nous conduit, elle est notre destination – conversion d'une vie libre en destin, selon le mot célèbre[20]. Au moins tant qu'on la pose comme terme : car si elle n'est pas le bout, il est *possible* que la destination se rompe dans l'effraction d'une grâce. Mais le drame n'en sait rien, ne

---

19. Sur la mise en question de ce finalisme dans la dramaturgie moderne, *cf.* « Sortes de futurs », ci-dessus p. 65.

20. Ce lien entre finalisme du drame et finitude métaphysique – entre le drame et la mort, le drame désignant cette façon de penser depuis la mort, d'écrire à partir de la mort – m'est apparu au cours d'une conversation avec Thomas Dommange, dans laquelle, comme à l'ordinaire, il est désormais bien difficile de démêler le mien du sien. Dans une autre perspective, Henri Gouhier établit aussi cette relation (*Le Théâtre et l'existence*, rééd. Vrin 1991, pp. 69 *sq.*)

veut rien en savoir[21]. Le *fatum* dramatique saisit la tragédie, mais au-delà, toute construction dramatique[22]. Drame et destin ont partie liée. En quelque sens qu'on veuille l'entendre : que le drame repose sur l'hypothèse destinale, ou que le destin lui-même, après tout, ne soit que le transfert métaphysique de la fabulation dramatisée.

4. POURQUOI LES PASSIONS ?

À propos du drame, P. Szondi donne la précision suivante : « En tant que concept historique, il représente un phénomène de l'histoire littéraire : c'est le drame, tel qu'il est né en Angleterre à l'époque élisabéthaine, et *surtout* dans la France du dix-septième siècle se prolongeant dans le classicisme allemand.[23] » Comme on sait, cette culmination du drame au XVIIᵉ siècle s'exprime à la fois dans une floraison d'œuvres pour la scène, et dans une intense production théorique, cette dernière concentrée autour des multiples voies de lecture de la *Poétique*. Or, il se trouve qu'à cette époque, acmé du phénomène historique – et plus nettement encore en France où le drame se développe « surtout » – la définition artisotélicienne en vérité cède le pas, malgré l'apparence, malgré les commentaires obsessionnels dont elle fait l'objet. Dans la production dramatique effective, et pour un grand nombre d'énoncés théo-

---

21. J'ai suggéré l'idée que, dans cette dramaturgie de la grâce que cherche Gabriel Marcel, la transcendance fonctionne comme rupture de dramaticité – en particulier par la recherche d'une fin ouverte, indécidée. *Cf.* « Le drame cassé », in *Présence de Gabriel Marcel*, n° 12, 2002.

22. Se pose, bien sûr, la question de la comédie : de ses dé-nouements obligés, de ses *dei ex machinis* qui rompent « artificiellement », « extérieurement », la logique du drame. On pourrait soutenir l'hypothèse (apparue au cours de la conversation avec T. Dommange évoquée ci-dessus, n. 20) qu'ils actualisent l'affirmation simple, parfois explicite, que le drame n'est pas bouclé, et que le pire (la mort) n'est pas sûr – pour le temps de la scène. Le dénouement comique (le mariage heureux etc.) fonctionnerait alors comme éternité de fiction, rejetant toute mort au-delà des planches et du récit.

23. P. Szondi, *Théorie du drame moderne* [1956], trad. P. Pavis avec J. et M. Bollack, L'Age d'Homme 1983, p. 10. Je souligne.

riques qui l'accompagnent, la priorité de l'action, qui formait le cœur du dispositif posé par Aristote, se laisse devancer par l'importance des *passions*. Comment ce déplacement d'accent peut-il être compris[24] ?

Il faut revenir à la détermination, proposée ci-dessus, de l'action dramatique comme décision. On l'a dit, le caractère *décisif* de la résolution prise dans l'action dramatique repose sur l'institution préalable d'un choix. Or le choix est lui-même un événement à double face. D'une part, l'alternative posée entre deux conduites possibles, et d'autre part la préférence accordée à l'une d'elles. Si la seconde face, le second moment représente l'aspect proprement « actif » de la décision, sa mise en action, cet engagement actif n'est possible que dans la mesure où a été posée, préalablement, une sorte d'équilibre entre deux hypothèses d'actions possibles. Il faut un point d'incertitude qui fonde et appelle l'option. Ce moment irrésolu instaure le choix comme tel : il n'est de choix que si, dans un temps logique – si mince soit-il en fait –, est *posée* l'alternative à deux branches, l'inaction suspensive durant laquelle s'offre l'embranchement d'une double possibilité. C'est-à-dire qu'il faut à tout choix (et donc à toute action dramatique qui l'exprime) *une phase d'indécision*. Si décidée, engagée qu'elle soit, et précisément parce qu'elle l'est, la décision dramatique requiert la position antérieure d'une indécision qui la rend possible. Le temps (logique) d'indécision est une condition de possibilité de la décision, et donc du drame.

Cette indécision nécessaire produit dans le drame divers effets de structure. Tout d'abord, son temps logique cherche un temps effectif qui l'exprime : ce suspens formel, apriorique aspire à se produire comme écart concret d'une durée. Il suscite des techniques de retardement. En effet, pour sa bonne disposition scénique ou représentative, le drame ne peut enchaîner une série d'événements se succédant sans délai. Il

---

24. Pour un exemple de ce changement de regard, *cf.* ci-dessous, p. 191, n. 7., p. 193, n. 17 et les commentaires liés. Sur les débats historiques qui font l'arrière-plan de cette discussion, *cf.* G. Forestier, *Passions tragiques et règles classiques*, PUF, 2003.

faut réduire et agencer (composer) la série *des* actions pour construire *une* action, ce qui induit une économie diachronique de la décision. Lorsque les termes de l'alternative ont été posés, le suspens de l'option, la rétention du moment où se fait la bascule s'avère une des modalités les plus sûres de cet effet-retard. Suspension qui ouvre le *suspense* : mutation du temps logique en temps dramatique. Si la composition consiste à remonter d'une décision finale (le dénouement, le « sujet » du drame) vers la situation initiale qu'elle finira par trancher, le travail de construction tiendra dans la production d'un tel retard, dans cette temporisation (cette temporalisation aussi) de la décision par rapport au problème inaugural. Comme l'a montré G. Forestier, l'*écart* entre situation et résolution est pointé par Racine dès les premières lignes de la préface de *Bérénice* : « Titus, qui aimait passionnément Bérénice, et qui même, à ce qu'on croyait, lui avait promis de l'épouser, la renvoya de Rome, malgré lui et malgré elle, dès les premiers jours de son empire.[25] » Cet emprunt à Suétone, qui fonde le « sujet » de l'œuvre, articule d'un trait la situation initiale (il l'aime et a promis de l'épouser) et la résolution finale (il la renvoie). La *formation* (mise en œuvre, agencement, disposition) de l'œuvre consiste dans l'engendrement de l'écart temporel, du sursis, du *différer*, qui s'instaure et s'étend, de l'un et l'autre, comme temps de la pièce.

Comment habiter alors le délai ouvert par l'indécision, ainsi étendue comme durée d'un temps dramatique ? Quelle force, quelle ressource pourra nourrir le retard, enclencher le défaut de décision, et d'abord *exposer l'indécision* dans son déploiement temporel, légitimant son effet d'immobilisation de l'action ? Le drame répond à cette requête par une innovation fonctionnelle, de portée considérable, pour l'histoire du drame et au-delà. Ce qui permet à la structure dramatique de ménager un espace d'engendrement de l'inaction, une niche d'espacement et de temporalisation de l'indécision, sera

---

25. Racine, *Œuvres complètes*, Seuil, « L'intégrale », 1962, p. 165. Racine donne la référence est à Suétone, « *in Tito*, cap. 7 ». *Cf.* Forestier, *op. cit.*, pp. 202 *sq.*

le creusement de l'intériorité. Pour occuper ce temps d'inaction, pour le *produire* (le construire et le montrer), il faut donner consistance à du subjectif et à de l'intérieur[26]. *Hamlet*, par toute sa première moitié, est le bond en avant génial de cette dramaturgie de l'irrésolu. Mais, si radical que soit son geste anti-dramatique[27], l'œuvre n'est pas isolée : la dramatisation de cette époque culminante du drame[28] s'avance comme approfondissement de ce creusement de l'inaction. C'est l'inaction qui désormais s'expose dans le drame : quand l'action s'engage enfin, le dénouement est proche. Indécision d'Auguste pour l'abandon de l'Empire, de Cinna quant au meurtre, de Maxime sur la trahison, etc. On peut le dire de bon nombre de pièces : l'indécision fait leur trame, se décomposant parfois en irrésolutions emboîtées, gigognes, ou en en chaîne. La production du retard s'actualise comme suspens des choix – et ce suspens lui-même se donne une source – une ressource de motifs et d'aliments – par l'évidement d'une poche d'intériorité.

L'intériorité peut s'exposer selon divers modes. Le premier, classique, est strictement délibératif. L'espacement intérieur s'y produit par la tension entre des raisons symétriques portant à des choix inverses. Il se creuse comme rétention, et temporalisation, de leur alternative. Or, même fidèle à ce régime rhétorique et argumentatif, le théâtre de « l'époque du drame » glisse de la délibération rationnelle à la confrontation passionnelle. Cette mutation inattendue conduit à quasiment retourner le drame contre son orientation première – à le mettre en porte à faux avec sa définition. Comment comprendre un tel tête à queue ? Je voudrais tenter ici de décomposer son processus en trois étapes, qui à mes yeux correspondent à trois phases dans

---

26. Dans la citation de Racine ci-dessus, c'est évidemment dans le « malgré lui, malgré elle » que s'indique l'espace où ce creusement ira se nicher.

27. « Anti-dramatique », parce que contraire à une dramatique de l'action, c'est-à-dire à toute dramatique, selon la lecture alors dominante de la *Poétique*. Tout le problème soulevé ici vient, on l'aura compris, de l'écart entre ce qui est affirmé dans nombre de commentaires du texte aristotélicien, et les modes dramaturgiques réels que l'on peut observer dans les pièces de l'époque.

28. *Cf.* ci-dessus p. 101 et n. 23.

la *pression* croissante des forces passionnelles sur le schéma dramatique « absolu »[29] – ou de leur rongement interne de sa structure. Mais ce devenir est une fiction, une séquence logique : ses phases interfèrent, et se croisent.

1) D'abord, la passion apparaît comme un effet de l'action. Elle lui est conséquente – c'est sa passivité même – , comme le patient subit l'acte de l'agent. Dans le schéma proto- ou para- dramatique, la distinction s'exhibe, nette. L'*aria* se détache, s'autonomise comme discours d'une passion qui résulte d'actions nouées dans un récitatif. Un fiancé part, ou meurt : s'ensuit un temps de lamentation, disjoint de l'annonce du départ. Passion séparée de l'action, comme l'effet de la cause : qui *exprime* l'action elle-même, en est un résultat, une conséquence, et dans le schéma dramaturgique donne lieu à une efflorescence externe, un développement formel, qui s'extrait du cours de l'action comme telle. Même si, bien sûr, il peut y produire des effets : mais à titre second, et cette fonctionnalité en excédent ne fonde pas la nécessité première de son exposition.

2) À cette passion en aval, réplique une passion en amont. Ici la passion se loge au cœur du dispositif requis par l'action elle-même. En tant que décision, l'action requiert une phase préalable d'indécision, position de l'alternative qu'elle devra trancher. La passion se situe alors *dans* cette indécision, qu'elle étire et aggrave. Elle se substitue à la délibération rationnelle. Il peut s'agir de l'appesantissement d'un des termes de l'alternative (raison affective contre raison passionnelle : c'est la phase « cornélienne », au moins selon le schéma vulgarisé, passion contre raison, amour contre devoir). Dans ce cas, on a formellement encore affaire à une délibération : stances, monologue délibératif, etc. Sont mises faces à face deux espèces de raisons : l'habituelle, réflexive, et face à elle une sorte de raison de l'affect, qui se *présente* avec équipement rationnel, mais exprime en vérité la rage d'une pulsion. « Impatients désirs » d'Émilie[30], amour travesti en politique

---

29. Au sens de Szondi, *Théorie du drame moderne*, *op. cit.*, p. 14.
30. *Cinna*, I, I, v. 1.

par Cinna, dont Maxime l'accuse[31]. Mais la passion peut aussi miner le débat rationnel en semant le retard, en nourrissant l'indécision : sape passionnelle du débat raisonné, conflit de passions adverses ou destruction intime de l'inclination rationnelle par l'exaspération avide qui habite le choix – Pyrrhus, Néron, Hermione. Ici la passion compromet le statut de l'action, elle se loge au cœur de l'indécision mais l'alourdit, leste et fausse son équilibre délibératif, la met en danger par corruption interne, termitière d'intériorité. L'indécision se noue en blocage passionnel, plus qu'en équilibre délibératif.

3) Puis tout s'emballe. La passion prend la place, usurpe le trône de la raison non plus comme force d'indécision, mais comme puissance d'entraînement. Comme si passion en amont et passion en aval s'étaient rejointes, traversant l'action elle-même, jusqu'à la transir de passion, la passionner sans reste, *c'est-à-dire la dés-activer* en un certain sens. Encore dans *Bérénice*, la passion retarde le choix (rationnel). Dans *Phèdre*, elle le force : le terrasse, le dévaste, et l'emporte.

Quoi qu'il en soit de la différence entre ces deux dernières phases – passion retardatrice (en amont de la décision) puis accélératrice (qui entraîne l'action elle-même) – distinction ici présentée à titre de typologie grossière, la force passionnelle vaut dans l'une et l'autre comme crise de l'action[32], et de la décision qui en forme le cœur. Dans le premier cas, parce que l'in-décision suspend l'action, la reporte et la diffère, intériorise le débat, qui s'étend et s'étire. L'indécision capte alors le nœud de l'intérêt, vole la vedette à l'action qu'elle introduit – dans *Hamlet* comme dans *Bérénice*[33]. Phase classique, pourrait-on dire. Dans le second cas, parce que la passion remet en cause le modèle décisionniste lui-même : Phèdre ne décide

---

31. *Ibid.*, III, ɪ, v. 712, 717-718 ; ɪɪɪ, ɪɪ, v. 838 *sq.*
32. On notera ici la parenté avec ce que Gilles Deleuze a analyse, pour le cinéma, comme crise de l'image-action. *Cf. L'image-mouvement* (*Cinéma 1*), Ed. de Minuit, 1983, chap. XII, pp. 266 *sq. Cf.* également les analyses de P. Marrati dans *Gilles Deleuze, Cinéma et philosophie*, PUF, coll. « Philosophies », 2003.
33. C'est ce que Rousseau reproche à la pièce. *Cf. Lettre à d'Alembert sur les spectacles*, GF 1990, p. 122.

à aucun moment de la déclaration qu'elle fait à Hippolyte
– pour prendre le meilleur exemple, le plus accompli. C'est la
passion qui emporte, le sujet ne décide plus de rien[34], il se
laisse prendre. Tout se passe comme si, s'étant dans un premier temps logée dans un interstice du dispositif décisionniste
(l'entre-temps d'indécision logiquement requis par toute décision pour se déployer comme telle), la passion en venait à
occuper progressivement la terre interdite, le domaine de
l'agir lui-même, désarmé alors de la décision qui devrait le
fonder. Le drame se déporte hors de son régime fondateur
pour se constituer en drame des passions – oxymore que l'on
eût dit intenable. Phase exactement *moderne*, où s'ouvre, si
l'on y prend garde, la crise du drame, qui équivaut strictement
au devenir moderne de la dramatisation. Dramatiser, depuis
lors, c'est toujours en un certain sens dé-dramatiser : priver
l'action du ressort décisionniste qui l'enclenche. L'histoire du
drame moderne, critique et déposition, ou démontage, de la
raison dramatique, se déploie comme *critique de la décision :*
défaut, forfait ou destitution du sujet de la décision dramatique. Le drame moderne, comme crise du drame, expose la
critique, engagée puis déployée par le drame lui-même, de
son présupposé fondateur.

Ce retournement entraîne de multiples conséquences : à titre
d'exemple, qui n'est pas minime, le déplacement d'accent de
l'action vers le personnage. Déjà notable au sein du débat
français de l'époque classique (de Corneille à Racine, pour
le dire vite[35]), et plus encore dans celui qui opposera aux
manières françaises la stratégie allemande qui leur succède et
les conteste (Lessing, Lenz par exemple), ce passage de
l'action à la personne est un des traits décisifs du basculement
du monde « classique » au monde « romantique ». Mais pourquoi ce transfert, qui fera l'objet de prises de parti si vives –
au point de marquer pour certains les bornes de l'appartenance

---

34. *Cf.* ci-dessus, p. 49, n. 42.
35. « Racine est préféré à Corneille, et les caractères l'emportent sur les
sujets. » Saint-Évremond, cité par G. Forestier, *op. cit.*, p. 193.

nationale et historiale, allemande et romantique, avec les conséquences que l'on sait ? Parce que le *personnage* diffère de l'*agent* précisément en ceci qu'il est le lieu, le support (le sujet) de ce creusement passionnel de l'intériorité. Le personnage peut être défini : le théâtre des passions. L'agent de la délibération se trouvait *devant* des stratégies divergentes. Elle se *présentaient* à lui comme différentes routes à prendre, entre lesquels il devait choisir son chemin. La décision délibérative était un carrefour : comme celui où Œdipe rencontre Laïos. Alors que la passion, ou les passions qui se choquent, sont *dans* le personnage. Le personnage s'institue et se forme en tant qu'espace de cette intériorité passionnelle, affective. Il est le lieu de cette subjectivation. Le sujet-personnage n'est plus le sujet de la décision : il est la scène des affects.

L'intronisation du personnage-roi, qui se présente à nous comme accomplissement du drame, apparaît ainsi comme le point même où s'inaugure le processus de sa destitution[36]. Le couronnement du drame est le moment de sa déposition, engagée. C'est ici le paradoxe même de la raison dramatique : comme système rationnel, elle encadre ou organise le mouvement qui conduit à sa remise en cause, et bientôt à sa ruine. Sans doute parce que la raison du drame est moins un système qu'un événement. Elle est ce moment d'un processus, ce temps d'une histoire : temps où l'agir-humain, et inter-humain (l'agir humain se pensant, se réfléchissant sous le régime de l'inter-humain[37]) entreprend de s'instituer comme royaume de la décision. Pourquoi cette royauté ne sait-elle briller qu'à l'instant où s'amorce sa chute ? Voilà qui pointe une autre question, où clignote en arrière-fond, comme un ombre sous le voile, l'histoire de ce qu'on a pu appeler, avec emphase, l'Occident. Un autre terme, pour quelque temps encore, manque. Ramassons celui-ci : en un temps donné de son histoire, l'Occident s'est pensé comme couronnement de la raison

---

36. Qui produit un effet en retour sur le personnage lui-même. *Cf.* R. Abirached, *La Crise du personnage dans le théâtre moderne* [Grasset 1978], rééd. Tel-Gallimard.

37. *Cf.* ci-dessus, « Actions et adresses », pp. 79 *sq.*

décisionniste, dont le système du drame donnait la présentation la plus achevée. Mais cette épiphanie était trompeuse : ce que le drame montrait, comme sa souveraineté décidée, était l'engagement même de sa crise. À quoi celle-ci nous ouvre, quels sont ses devenirs possibles, ou souhaitables, est une interrogation qui succède logiquement à la précédente, mais ne s'y réduit pas.

Mai 2004

D'UNE ATTENTE
TRANSMISE EN SCÈNE

Chère Madame[1], j'ai bien reçu votre lettre. Je l'ai lue, relue, avec embarras, puis avec gêne : comme touché d'une cécité, d'une surdité à la question que vous posez. J'avais pourtant aimé votre invite, qui me flattait, puisque nous ne nous connaissons pas. Et par ailleurs j'écris sans réticence. Il m'a donc fallu questionner un peu cette sécheresse, qui m'avait inopinément saisi. J'espère que vous ne m'en voudrez pas si je tente d'y voir clair, en témoignant d'un désaccord avec les termes de votre courrier. C'est seulement pour vous remercier, pour vous répondre : pour tenter de ne pas manquer à la promesse que je vous ai faite, et qui me lie.

Votre question, si je la comprends, concerne la transmission. Il me semble que transmettre suppose une condition, un préa-lable, qui est de recevoir. Or, recevoir demande comme un entraînement, une discipline. Spontanément, au moins à l'âge adulte, nous inclinons à bloquer les réceptions, à obturer les ouvertures. Il faut un décrassage : libérer les conduits, faire

---

1. Dans le courant de l'année 1999, j'ai été invité à contribuer à un numéro des *Cahiers de Prospero*, revue du Centre National des Ecritures du Spectacle (La Chartreuse, Villeneuve-les-Avignon). Coordonné par Elsa Solal, il était consacré à « la question de la transmission ». Les contributions avaient été sollicitées par un texte d'appel, dont sont extraites les citations figurant dans ma réponse, publiée par la revue. Cette lettre d'invitation n'ayant, elle, pas été intégrée dans le numéro, je ne me sens pas autorisé à la reproduire ici.

de la place, ouvrir les voies pour laisser entrer ce qui vient. Puis-je vous dire, sans être blessant, que vos premières formules ne me paraissent pas témoigner de cette disposition à l'accueil ? Vous écrivez que « la réalité quotidienne, "l'actualité", prend bien souvent les allures d'une éternelle scène d'horreur qui se répète et nous plonge dans un cycle guerrier ininterrompu. Voilà ce que j'ai reçu, et ce qu'il me faudrait transmettre. » Je ne pense pas que ce soit accueillir le monde, tel qu'il est, tel qu'il change, que le décrire ainsi. Je ne veux pas absoudre *le monde : je n'en ai ni le pouvoir ni le goût, et cette manière apostolique n'a pas été incluse dans l'éducation qui m'a façonné. Mais le tableau que vous dressez, d'une phrase, me semble réducteur, trop uniforme. Assurément, il y a ces guerres, abominations, massacres. Mais ce n'est pas efficacement les combattre que de les engloutir dans un constat aussi compact, une noirceur aussi confuse. Il n'est pas vrai que notre monde soit fait de ce seul tissu : des humains y manigancent des procédures de vie, des engouements, des ruses et des forces. Pour dénoncer, de façon précise et utile, et faire plier si possible, quelques unes des ignominies dont nous sommes témoins et parfois complices, il faut d'abord un goût de la description exacte, de l'établissement des différences, de la circonscription des zones de l'immonde. Il y faut un peu de* tactique *– ou nous risquons de nous accommoder d'une confortable déploration.*

Pour le dire en d'autres termes, l'entraînement à recevoir inclut une gymnastique des organes critiques, de la faculté d'incroyance. Or le monde immonde qui partout nous cerne et nous assiège de son horreur globale, cela me paraît plutôt une sorte de lieu commun, un cliché, ou – vous allez m'en vouloir, je le devine, et le lecteur avec vous qui trouvera que je vous fais la leçon – un élément, une unité élémentaire, un atome du spectacle *général que veut nous proposer l'idéologie, c'est-à-dire en gros le chargement dominant, contenu et formes, de ce qu'on appelle aujourd'hui les médias. Voir le monde* ainsi, c'est accepter l'image qu'un bon nombre de médias nous en donnent : *cortège d'horreurs sans hiérarchie, défilé insensé de figures barbares. Ce système d'images, l'avez-vous remar-*

qué, est d'une substance, d'une « tissure » homogène à celle du spectacle d'épouvante : c'est-à-dire de cette machination qui fait commerce et profit de la monstration des horreurs crues. J'ai vu, à plus d'une reprise, les défenseurs du spectacle d'horreur argumenter ainsi (pour justifier leur refus de toute interrogation sur la responsabilité des spectacles, interrogation ou question qu'ils appellent censure) : il n'y a aucune responsabilité particulière à faire spectacle de l'horreur, avancent-ils, puisqu'un tel spectacle se voit chaque jour à la rubrique journal du programme de télévision. Le constat est juste : mais il faudrait peut-être en inverser la méthode. Ce n'est pas l'industrie des jeux du sang qui s'autorise de l'actualité, mais peut-être la forme de l'actualité qui est importée du spectacle de l'horreur. Non qu'il faille se dispenser de montrer les horreurs : il est de première importance de les faire voir, et simultanément de travailler à en produire la critique. De chercher à s'équiper, donc, pour les repérer, décoder leur langue, trouver leurs causes, pour montrer, comme eût dit Brecht, qu'elles ne sont pas un destin. Pour déposer leur fatalité prétendue, leur absurdité de pacotille. La tâche qui nous requiert est de déceler, sous l'horreur, comment et pourquoi elle aurait pu ne pas éclore. De concourir, même à petite mesure, au recul de la tragédie. À défaut, craignons de prendre la pose sur les charniers.

La deuxième formule sur laquelle je voudrais vous chercher noise se tient dans la phrase que voici : « Est-ce de cette faille grandissante que m'est venue l'inquiétante impression d'appartenir à une génération pour qui le vide se présente comme une valeur ? » Pour éclairer le contexte, disons que la faille dont vous parlez est celle qui écarte la pensée de l'action, ou la pensée du réel. Vous dites que la pensée se vide de réel, et l'action de pensée. Sur ce constat je peux vous suivre, en un certain sens et jusqu'à un certain point. Que la pensée se vide de réel, je n'en sais rien et ne peux en juger : pour tout vous dire, je ne suis pas sûr de bien comprendre ce que cela signifie. Mais que l'action manque de pensée qui l'éclaire, ou l'oriente, cela, je le constate aussi. Trop souvent

*nous marchons à l'aveugle, et nous n'avons pas assez d'ins-
truments pour baliser ou dégager nos routes. Il me semble,
si vous me permettez l'hypothèse, qu'un constat de cet ordre
est par nature* très temporaire. *La situation dont il s'agit
n'est pas si ancienne : le temps n'est pas très reculé où l'on
pouvait au contraire se plaindre de trop d'assurances, cadrées
par des cordages trop raides. Et il n'y a pas lieu d'extrapoler,
sinon par un affolement rapide, que la chute salutaire de ces
croyances néfastes entraîne pour toujours la perte de l'intelligence, de la lucidité, ou de l'aptitude à la prévision. Cela
va revenir, d'ici quelque temps, sous des formes sans doute
inopinées. Peut-être est-ce déjà revenu, peut-être les instruments de compréhension sont-ils déjà disponibles, peut-être
de bons inventeurs travaillent-ils tout près de nous, et nous
ne savons simplement pas les voir.*

*Mais là n'est pas l'important, ce n'est pas là dessus que je
vous chicane. C'est sur le vide. Je crois comprendre que, dans
votre phrase, le vide est une mauvaise chose. Et je voudrais
vous dire ma conviction qu'il nous en faut un peu. C'est comme
de l'air (bien que l'air ne soit pas vide) ; c'est comme, pour
mieux le dire, l'espace vide dans une maison, dans un hangar
(ou dans un théâtre) : il nous en faut. Nos demeures sont trop
encombrées : il nous faut un peu de dégagement, vider quelques placards. N'y voyez, je vous prie, aucun crime de lèse-
mémoire. Vider les placards n'a jamais rendu amnésique. Au
contraire : la mémoire veut du tri, entre héritages et vieux
rebuts. Il me semble que notre vision est surchargée de chro-
mos, de vieilles lunes, d'idéologie. La fin des idéologies, dont
on nous a rebattu les tympans, est une fin interminable, qui
nous fait crouler sous ses dépôts, ses décharges, sous son
idéologie épaisse, suralimentée. Pour paraphraser un mot
célèbre, ce n'est pas le vide qui étouffe, c'est notre trop-plein
de fausse spontanéité, ou de vrais automatismes, tout nourris
de stéréotypes, de décors, de trompe-l'œil aux airs de concret.*

*Oui, le vide pourrait être une sorte de valeur : non pas le
vide absurde et sans fond, mais l'espace que l'on évacue et
que l'on libère, pour l'aménager en volume ouvert, accessible,
lieu d'ouverture et de rien, c'est-à-dire, selon la définition*

fameuse, lieu émancipé de ses embarras pour rendre possible une scène. *Il n'est pas dit que l'engouement constaté chez tant de jeunes gens pour la pratique du théâtre ne soit pas, entre autre choses, la marque d'un désir de désencombrer un peu leur monde pour y ouvrir des aires, nues et libres, d'expériences et de jeux.*

J'ajouterai sur ce point une remarque qui m'est chère : c'est que ce désencombrement, qui vaut aussi dans la langue, pourrait bien définir le style. *Le style serait ce qui s'obtient quand se raréfient les images – celles qui se pressent, trop disponibles, aux portes de nos expressions spontanées – , lorsqu'on fait un peu de vide dans les jointures de la langue. Il ne m'a jamais semblé que Céline, qui s'en réclamait beaucoup, eût du style : j'y vois du talent, de la ficelle, et une obstination si ardente qu'elle frôle la grandeur. Mais de style, point. C'est que le style est une vertu critique : à droite aussi. Claudel en était fort, comme Bernanos, de Gaulle. Chez Céline, là même où paraît sa force, de vertu critique, non, je ne parviens pas à en débusquer.*

Ma troisième et dernière observation, chère Madame, porte sur le thème que vous m'avez proposé. Car vous m'avez suggéré une question, au sens strict : que faut-il attendre du théâtre ? *Je vois bien pourquoi cette demande m'est adressée. Elle rejoint, ou recoupe, des questions proches que j'ai tenté de poser dans quelques écrits récents. Et à ce titre – pour être très sincère – votre proposition m'honore, elle me gratifie. Mais j'ai pourtant (n'y voyez pas de provocation je vous prie, ni de gratuité) la conviction qu'à cette question je dois répondre :* rien. *Évidemment, cela prête à malentendu : je ne suis pas de ceux qui, sur le mode cynique ou dans une posture désabusée, veulent récuser toute espérance, nier le futur, afficher un nihilisme d'école, dans la figure du grand ou du petit désespoir. Au contraire : je m'attache, dans l'espace délimité que je laboure, public et privé, à cultiver la venue d'une nouvelle mouture d'attente positive, voire de confiance, si incongru ou désuet qu'en paraisse le désir. Mon objection est d'une autre pâte, et c'est pour d'autres raisons que je vous réponds, décidément :* rien. *En gros, bien sûr, il faudrait nuancer, mais pour l'essentiel,* rien. *Il ne « faut », comme vous dites, rien attendre du théâtre. Pourquoi ?*

Parce que ce qui peut venir au théâtre lui viendra du dehors : comme tout ce qui peut arriver, à quelque chose que ce soit, à quiconque. Ce qui arrive vient d'ailleurs. Ce qui arrivera au théâtre viendra d'ailleurs que de lui. Le théâtre n'est pas ce monstre qui se nourrirait de ses propres entrailles. Ce qui va venir (peut-être, en tout cas je l'espère, parfois un peu j'y travaille) viendra traverser le théâtre, emprunter ses voies, les détourner ou en maquiller le tracé, croiser, transir le théâtre de forces qui lui seront étrangères. C'est ainsi que le théâtre pourra trouver de nouvelles fécondités, dont comme beaucoup je rêve. En d'autres termes : ceux qui veulent agir dans le théâtre ou par lui, désir certes légitime, ne « doivent » rien *attendre de lui, mais se mettre à écouter, accueillir, attendre beaucoup de ce qui arrive hors ses murs. Une sorte d'auto-célébration du théâtre par lui-même aboutit à le couler dans ses voies de mort. Nous n'avons rien à attendre de l'identité-théâtre, du théâtre-même, du théâtre-narcisse qui se mire et s'admire dans les figures de son moi. Le théâtre est un instrument, ou plutôt un ensemble d'instruments et d'outils qui attendent d'être employés, manipulés, forcés aussi pour fabriquer des montages et machineries vivantes et inattendues. Le théâtre n'est pas pour le théâtre, pas plus que l'art pour l'art : il se nourrira du non-théâtre, il lui viendra du non-théâtre, qui est un des noms du vivant qui l'entoure et, espérons-le pour lui, le pousse à la traverse, le courbe, le malmène.*

Ce que j'attends du théâtre, (mais ce n'est pas une attente, c'est juste une façon de parler) c'est que ses meilleurs amis le rendent disponible, accueillant, ouvert à ce qui peut l'outrer. Au fond, voyez-vous, c'est ce que m'inspire à la fin votre enquête. Je ne nous crois pas si démunis du côté de la transmission. Nous le sommes, un peu, mais je n'y vois pas notre plus grand mal. Ce qui nous manque, c'est le talent de l'accueil. Nous ignorons tout des figures du nouveau qui devant nous se lèvent. Alors nous risquons, au nom de la nouveauté, de laisser entrer tous les monstres. Ou de fermer les portes au nouveau, en n'y voyant que de l'ignoble. Comment rester fidèle à notre monde, qui nous héberge, nous a reçus, en ouvrant ses accès vers l'insu, l'innommé, le futur qui vient, voilà ce dont nous manquons, il me semble. Ce n'est pas pour dire que nous sommes maudits, damnés par ce manque. C'est pour dire que cela nous manque, et qu'il faut tenter d'y pourvoir, si possible, au lieu où chacun nous agissons. Je vous salue très affectueusement.

Novembre 1999

II

Scènes d'exposition

DE PROUST À NOVARINA :
LES ACTES DES ACTEURS

Que font les acteurs ? Ils agissent, censément. Mais de quelle nature sont leurs actes ? Cette question est tout à fait distincte de celle de l'action dramatique. Elle ne demande pas ce que fait Phèdre pendant la scène de la déclaration, mais ce que fait exactement Sarah Bernhardt au même moment. Car le répertoire des actions commises par les acteurs est très restreint au théâtre : on ne tue pas sur scène, pas plus qu'on n'y meurt – en général. Les personnages meurent et tuent abondamment : pour les acteurs, c'est plus rare[1]. Ils ne doivent pas se battre, s'infliger des coups, mais savoir là-dessus faire illusion. Sur scène, on ne fait pas l'amour. Il est déconseillé de boire, même si le rôle s'enivre. On simule volontiers les repas : la digestion pèse. On court peu. Si on marche, c'est bref : les plus grandes scènes sont petites. Pas d'équitation, ou à peine. À vrai dire, une seule action s'ouvre à l'acteur en abondance, sans mesure : celle de parler. Ou : à la seule mesure du rôle – ce pourquoi tous aiment les textes copieux. Comme si les acteurs n'étaient que parleurs en vérité. On s'étonne que, dans certaines langues, le mot « acteur » les

---

1. « Les anciens poètes font mourir rarement les acteurs sur le théâtre » (D'Aubignac, *La Pratique du théâtre* [1643], éd. P. Martino, Alger, Carbonel, 1927, III, IV, p. 208. Ce qui montre combien l'usage du mot est alors différent du nôtre, puisqu'il s'agit du personnage, évidemment.

désigne. Il semble ailleurs employé à meilleur escient : acteurs de l'économie, acteurs de la vie politique ou institutionnelle, ceux-là agissent, semble-t-il. Comme on disait « acteurs » pour ceux qui commettent les actions du drame. Alors l'interrogation se déplace : si « acteur » vise celui qui agit, pourquoi cet autre terme, si proche, « agent » ? La langue philosophique, au moins, a retenu celui-ci, plus univoque, moins ambigu que l'autre. Quelle ambiguïté porte donc le mot « acteur », pour désigner celui qui est censé agir, et qui, en fait, si souvent n'agit pas ? Et, du coup : de quelle nature est « l'action » qu'il est réputé commettre, quand il joue (*to act*) sur la scène ?

1. PROUST

Je voudrais utiliser, pour mener cette enquête, un matériau qui conduit « de Proust à Novarina ». Non pour le simple plaisir d'associer deux auteurs monstres – d'une ampleur intimidante, menaçante presque. Mais parce que l'un et l'autre livrent une pensée de l'acteur, narrative et spéculative à la fois, et qu'entre eux se produit un changement d'axe qui éclaire la question. Dans la *Recherche*, de nombreuses séquences et de multiples réflexions concernent des acteurs (le plus souvent, des actrices[2]). Je m'en tiens ici à l'évocation de quelques passages qui touchent « la Berma » – cette comédienne où transparaît la figure de Sarah Bernhardt. De longs et multiples fils tissent la trame de ces récits, du début à la fin des romans : mais la plupart se croisent dans deux scènes, c'est le cas de le dire, qui articulent deux réponses au problème que nous posons. Que fait la Berma sur les planches, successivement et de façon liée, dans ces deux moments du récit ? Elle *paraît*, et elle *dit*. Voilà une théorie

---

2. Sur le privilège de l'actrice dans les portraits d'acteurs, en particulier au XIXe s., *cf.* R. Chambers, *L'Ange et l'automate, variations sur le mythe de l'actrice de Nerval à Proust*, Minard, Archives des Lettres modernes, octobre 1971, et S. Jouanny, *L'Actrice et ses doubles : figures et représentations de la femme de spectacle à la fin du XIXe siècle*, Droz, 2002.

possible de l'acteur, et de ses actes – ou deux. Ou deux en
une, ou une en deux. Ce que fait l'acteur : *paraître* (apparaître), et *proférer* (dire devant). Rien d'autre. C'est beaucoup : mais il faudra nous demander dans quelle mesure, et
dans quel sens, ces deux verbes, joints ou pas, désignent des
actes.

Les deux passages répètent une même « scène » roma-
nesque, transformée : il s'agit des deux fois où le narrateur
se rend au théâtre pour voir (ou « entendre »[3]), la Berma
jouer (ou « réciter »[4]) la scène de la déclaration dans *Phèdre.*
Le premier prend place dans *À l'ombre des jeunes filles en
fleurs*[5] – quoique annoncé comme en creux par l'interdiction
paternelle, dans *Du côté de chez Swann*[6]. Le second se trouve
dans *Le Côté de Guermantes I*[7]. Ces récits sont symétriques
dans leur structure, puisque le premier relate l'intensité croissante d'un espoir, d'une avidité[8], suivis d'une déception brutale[9], alors que dans le second le narrateur se rend au théâtre
de façon désabusée, indifférente, et se trouve saisi devant la
scène d'une extrême admiration[10]. Que *fait* la Berma dans la
première de ces deux séquences ? Elle *apparaît.* À vrai dire,
on ne sait pas si c'est exactement ce qu'elle fait, ou ce que
l'attente de plusieurs années, l'espoir des jours antérieurs,
l'impatience des heures et des minutes qui précèdent son
arrivée en scène font imaginer. Quoi qu'il en soit, l'instant et
le point sur lesquels se concentrent le désir et la prévision du

---

3. Par ex., du père du narrateur : « Et hélas, il défendit d'une façon absolue
qu'on me laissât aller au théâtre entendre la Berma », M. Proust, *À la recherche
du temps perdu*, éd. dir. par J.-Y. Tadié, Gallimard-La Pléiade vol. I, 1987,
p. 386 ; ou : « Une autre fois, toujours préoccupé du désir d'entendre la Berma
dans une pièce classique [...] », *ibid.*, p. 395. Ou encore pp. 430, 431, 433, etc.
4. *Op. cit.*, p. 432. « Si jamais j'entendais réciter par la Berma les vers [...] ».
5. *Op. cit.*, vol. I, pp. 430-443.
6. *Cf.* ci-dessus n. 3.
7. *Op. cit.*, vol. II (1988), pp. 344-352.
8. *Cf.* ci-dessous, n. 10.
9. *Op. cit.*, , vol. I, pp. 437 *sq.*
10. « Et alors, ô miracle, [...] le talent de la Berma qui m'avait fui quand je
cherchais si avidement à en saisir l'essence, maintenant, après ces années
d'oubli, dans cette heure d'indifférence, s'imposait avec la force de l'évidence
à mon admiration. » *Ibid.*, p. 347.

narrateur sont annoncés comme parousie[11]. Les formules reli-
gieuses ou mystiques ne manquent pas pour décrire l'attente,
l'espoir, le désir[12]. Après ces moments d'exaspération progressive de l'ardeur spectatrice, ce que *fait* Berma tient tout
entier dans cet événement pur : elle *entre*. On trouve ici un
des thèmes qui hanteront Novarina, mais de manière bien
différente, on va le voir. Tout converge et se rassemble dans
l'imminence[13], puis l'épiphanie de cette entrée[14]. Au point
qu'après elle, rien ne peut survenir sinon une immense déception. À vrai dire, le narrateur attend aussi qu'elle parle :
qu'elle *dise*, qu'elle *récite*. Mais il ne reçoit qu'un très morne
débit, froid et plat[15], qui produira la chute d'une révélation
retombée, fanée, flétrie. C'est que l'*entrée* ici n'est pas un
acte qui revient à l'actrice, qui lui incombe, qu'elle *agit* au

---

11. « Je les connaissais [il s'agit des vers de la scène de la déclaration] par
la simple reproduction en noir et blanc qu'en donnent les éditions imprimées ;
mais mon cœur battait quand je pensais, comme à la réalisation d'un voyage,
que *je les verrais enfin baigner effectivement dans l'atmosphère et l'ensoleil-
lement de la voix dorée.* » *Op. cit.*, vol. I, p. 433. Je souligne. « Les yeux fixés
sur l'image inconcevable [...] », p. 435 ; « l'idée, invisible derrière son voile,
de la perfection de la Berma », p. 436.
12. « Attendant du jeu de la Berma des révélations [...] », *ibid.* p. 433 ; « ce
que je demandais à cette matinée, c'était tout autre chose qu'un plaisir : des
vérités appartenant à un monde plus réel que celui où je vivais, et desquelles
l'acquisition une fois faite ne pourrait pas m'être enlevée [...]. Tout au plus, le
plaisir que j'aurais pendant le spectacle m'apparaissait-il comme la forme
peut-être nécessaire de la perception de ces vérités », p. 434 ; « cachée comme
le Saint des Saints sous le rideau qui me la dérobait et derrière lequel je lui
prêtais à chaque instant un aspect nouveau, selon ceux des mots de Bergotte
[...] qui me revenaient à l'esprit : « [...] cilice chrétien, pâleur janséniste, [...]
symbole delphique, mythe solaire » la divine Beauté que devait me révéler le
jeu de la Berma, nuit et jour, sur un autel perpétuellement allumé, trônait au
fond de mon esprit [...], perfections de la Déesse dévoilée où se dressait sa
forme invisible », p. 435. Aussi « non vers la Sage Déesse, mais vers l'impla-
cable Divinité qui lui avait été subrepticement substituée sous son voile »,
p. 436.
13. « Mon plaisir s'accrut encore quand je commençai à distinguer derrière
ce rideau baissé des bruits confus comme on en entend sous la coquille d'un
œuf quand le poussin va sortir », *ibid.*, p. 438.
14. « Mais tout à coup, dans l'écartement du rideau rouge du sanctuaire,
comme dans un cadre, une femme parut, et aussitôt, à la peur que j'eus, [...] à
ma façon [...] de ne considérer, dès cet instant, salle, public, acteurs, pièce et
mon propre corps que comme un milieu acoustique [...], je compris », *ibid.*,
p. 440.
15. « Quant à la déclaration à Hippolyte, [...] elle passa au rabot d'une
mélopée uniforme toute la tirade », *ibid.*, p. 441.

sens strict. Elle est le point supérieur de la courbe du désir (du narrateur, et du spectateur donc), au-delà duquel l'intensité décroît. L'entrée s'inscrit dans la forme désirante du regard spectateur, l'actrice n'en fournit que la décevante occasion. Et d'ailleurs, elle résultait à ce point de l'appel du regard que le spectateur a pu se méprendre : fausse entrée d'abord, puis vraie, tant le schème de l'entrée précède la figure qui entre[16]. L'actrice, ici, n'a rien *fait* de réel – si ce n'est arriver sur la scène, et dire quelques vers de façon étale. Ou : ce qu'elle a fait, le narrateur n'en a rien su, l'a laissé filer[17], et en a privé le lecteur aussi.

La structure est différente dans la seconde « scène ». Notons d'abord qu'à proprement parler, la Berma *n'entre pas*. Loin de focaliser à nouveau les puissances narratives, l'entrée s'éclipse : la Berma est déjà en scène sans qu'on l'ait vue *apparaître*[18]. Le rapport entre paraître et réciter bascule : la diction prend le devant. Mais celle-ci, au sens techniquement séparé qu'attendait le narrateur dans la scène précédente, se mue en un *dire* autrement perçu et qui force le ravissement. Car le narrateur s'interroge sur la différence, si vive, si abrupte, entre les deux sentiments éprouvés en ces deux occasions semblables, afin de comprendre la nature du « talent de la Berma »[19], haussé au statut de « génie »[20]. Ce qui l'étonne (et nous avec lui), c'est d'observer que, dans cette nouvelle expérience, « [son] impression, à vrai dire, plus agréable que celle d'autrefois n'était pas différente »[21]. La raison du paradoxe

---

16. « et pourtant, dès que le rideau fut levé et qu'un second rideau, en velours rouge celui-là, se fut écarté, [...] une actrice entra par le fond, qui avait la figure et la voix qu'on m'avait dit être celle de la Berma » *ibid.*, p. 440.

17. « Ce fut seulement quand elle fut arrivée au dernier vers que mon esprit prit conscience de la monotonie voulue qu'elle avait imposée aux premiers. » *ibid.*, p. 441.

18. « Celle-ci venait d'entrer en scène. » *Op. cit.*, vol. II, p. 347. Le moment de son entrée est comme manqué par le narrateur, distrait par le bruit d'une spectatrice – ce qui, je le répète, ne peut manquer de frapper, au regard du surinvestissement dont l'entrée (attendue, préfigurée, admirée par erreur puis accomplie enfin dans l'instant pur de l'ouverture d'un rideau) faisait l'objet dans la séquence précédente.

19. *Ibid.*, p. 347.

20. *Ibid.*, pp. 348, 350, 352.

21. *Ibid.*, p. 348.

est ainsi dégagée : « Seulement je ne la confrontais plus à une idée préalable, abstraite [...] ». La différence ne sépare donc pas deux impressions distinctes, mais, pour une même impression répétée, deux attitudes ou états d'esprit : la confronter à *une idée* préalable, ou la recevoir pour elle-même. Quelle est cette idée, dont l'apposition se révèle si néfaste ? C'est « une idée préalable, abstraite, et fausse, du génie dramatique »[22]. L'erreur vient donc de la place de l'idée (elle est préalable), de sa nature (elle est abstraite), et de sa teneur (elle est fausse). Or sa fausseté n'est précisément rien d'autre que son antécédence, son caractère « préalable », qui se confond aussi avec son abstraction. La fausseté de l'idée, c'est d'être préalable et abstraite, *c'est-à-dire d'être une idée*. « Nous sentons dans un monde, nous pensons, nous nommons dans un autre »[23]. L'erreur consiste dans le fait de vouloir fondre l'impression dans une idée, qui est toujours un préalable en attente d'une confirmation qui ne pourra venir. Ainsi des applaudissements, survenus « comme s'ils naissaient non pas de mon impression même, mais comme si je les rattachais à mes idées préalables »[24]. L'erreur a donc été de vouloir « rejoindre mes idées », de penser combler « la différence qu'il y a entre une personne, une œuvre forcément individuelle et l'idée de beauté », laquelle « existe aussi grande entre ce qu'elles nous font ressentir et les idées d'amour, d'admiration »[25]. Cette attente de l'idée, cette préformation abusive dessinent exactement la structure de la première « scène », telle que le narrateur la comprend à la lumière de la seconde[26]. La seconde scène est une lecture, une intelligence de la première, qui en éclaire la nature inéluctablement déceptive : « ce sont les œuvres vraiment belles, si elles sont sincèrement écoutées, qui doivent le plus nous décevoir, parce que dans la collection de nos idées il n'y en a aucune qui réponde à une impression indivi-

---

22. *Ibid.*, *id.*
23. *Ibid.*, p. 349.
24. *Ibid.*, p. 350.
25. *Ibid.*, pp. 349-350.
26. Mais cette interprétation s'annonçait déjà dans le premier texte. *Cf. op. cit.*, vol. I, pp. 433, 440-441.

duelle.[27] » L'erreur *est celle du désir* : exactement « comme jadis quand je retrouvais Gilberte aux Champs-Élysées, je venais à elle avec un trop grand désir. Entre les deux déceptions, il n'y avait peut-être pas seulement cette ressemblance ; une autre aussi, plus profonde », qui est justement celle de l'anticipation figurative, idéale[28].

Essayons d'entrer un peu dans l'idée elle-même – après en avoir évoqué le statut et la fonction. Car nous avons bien affaire à une théorie de l'acteur et du jeu[29]. Quel est le contenu de cette idée ? Le narrateur le caractérise avec précision. « Autrefois pour tâcher d'isoler ce talent, je défalquais en quelque sorte de ce que j'entendais, le rôle lui-même, le rôle, partie commune à toutes les actrices qui jouaient *Phèdre* et que j'avais étudié d'avance pour que je fusse capable de le soustraire, de ne recueillir comme résidu que le talent de Mme Berma.[30] » L'idée (« préalable, abstraite, fausse ») consiste donc dans le fait de vouloir disjoindre le rôle, de vouloir l'isoler ou le séparer. Le contenu de l'idée est, on le voit, homomorphe à son statut : puisqu'elle définit une position du rôle, son caractère abstrait, lui aussi préformé. Le rôle qu'on veut indûment isoler est pour cela « étudié d'avance », anticipé, abstrait de la réalité de l'interprétation. L'idée préalable, c'est l'idée du rôle comme préalable. Son caractère abstrait, c'est l'abstraction du rôle comme donnée, commune à toutes les actrices, antérieure à l'interprétation. La fausseté réside dans cette dissociation même : dans la scission du rôle et du jeu[31]. Mais pourquoi le narrateur veut-il, avant la première scène, dégager cette donnée pré-constituée, et l'étudier par avance ? C'est être prêt, le moment venu, à percevoir le résidu de cette soustraction. Il s'agira de soustraire au jeu de

---

27. *Op. cit.*, vol. II, p. 349.
28. *Ibid.*, *id.*
29. « C'était précisément cela que me montrait le jeu de la Berma. C'était bien cela la noblesse, l'intelligence de la diction ». *Ibid.*, *id.*
30. *Ibid.*, p. 347.
31. Pour jouer encore de la réversion, on pourrait dire : l'idée (fausse) du rôle, c'est précisément la position du rôle comme idée, comme idée directrice du jeu. Cette approche consonne avec celle de G. Simmel. *Cf.* ci-dessous, p. 167.

la Berma son rôle (dotation commune à toutes les actrices), dans le but de rendre visible un reste, un précipité : le *talent* de la Berma[32]. Le talent : cet isolat, après soustraction du rôle[33]. L'espèce de corps ou de composant simple visé par cette réduction, c'est bien l'agir propre de Berma. Il faut savoir *ce que fait Berma* quand elle joue, qui ne revienne qu'à elle et pas à l'auteur. Dissocier Berma comme agent, comme actrice, du rôle qui est sa donne, son matériau[34]. Ce dégagement aspire à désintriquer cette strate d'action qui revient à l'actrice et constitue son autonomie. Or c'est cette attente qui va être déçue. La déception portera sur la capacité à dissocier ces opérations spécifiques. Cette *propriété* résiste à l'extraction, se refuse, s'obstine dans l'inextricable. Et, par un exact retournement, c'est cette même impossibilité à produire la dissociation qui va nourrir le ravissement ultérieur. Car « ce talent que je cherchais à apercevoir en dehors du rôle, il ne faisait qu'un avec lui »[35]. Dans la page qui suit, le narrateur s'attache à démonter le jeu de la Berma en ses composants élémentaires, afin, pour chacun d'entre eux, de récuser la distinction du rôle et du talent. C'est ainsi qu'il passe en revue les intentions, la voix, les bras (les mouvements du corps), l'attitude en scène, les voiles (le costume), selon une progression savamment réglée qui se déploie, de borne en borne, du centre le plus intime jusqu'à l'extérieur matériel.

Résumons, au risque de désenchanter cette page magnifique. *Les intentions* paraissaient explicitement dans le jeu des autres acteurs en scène, et se laissaient donc distinguer de lui, « intentions entourant comme une bordure majestueuse ou délicate la voix et la mimique d'Aricie, d'Ismène, d'Hippolyte » alors que Phèdre (c'est-à-dire la Berma, mais cette imprécision est ici contrôlée), « Phèdre se les était intériorisées, et mon esprit

---

32. « Le talent dans sa réalité matérielle, tangible ». *Op. cit.*, vol. II, p. 347.
33. Lequel est, si l'on peut dire, le « talent » de Racine. Mais Proust n'emploie pas ce terme, bien sûr. *Cf. op. cit.*, vol. I, pp. 432-434.
34. Le talent, étymologiquement, est une quantité de métal qui se pèse. *Cf. Le Robert, Dictionnaire historique de la langue française*, dir. A. Rey, 1992, vol. II, p. 2076.
35. *Op. cit.*, vol. II, p. 347.

n'avait pas réussi à arracher à la diction et aux attitudes [...]
ces trouvailles, ces effets qui n'en dépassaient pas tant il s'y
étaient profondément résorbés »[36]. Chez d'autres, on peut dissocier l'intention de la réalisation, spécifier les trouvailles, les
effets. Une intentionnalité reste distincte de son résultat, et se
donne à voir dans sa distinction. Alors que Berma invalide
cette coupe, produisant un jeu non-intentionnel, a-intentionnel
– ou plutôt outre-intentionnel, tant l'intention est ici « résor-
bée ». Dans « *la voix* de la Berma [...] ne subsistait plus un
seul déchet de matière inerte et réfractaire à l'esprit »[37]. C'est
maintenant la distinction matière-esprit qui se trouve congé-
diée. Bien sûr, la voix est traditionnellement le lieu d'une sorte
d'indistinction de l'âme et du corps, de l'intérieur et de l'extérieur. Mais chez Aricie ou Ismène, pourtant, « se laissait dis-
cerner [...] un excédent de larmes qu'on voyait couler parce
qu'elles n'avaient pu s'y imbiber sur la voix de marbre »[38].
La voix de ces actrices reproduit la distinction entre la
substance matérielle (le marbre), et le sentiment qui pousse
un flux de larmes comme son résultat, son excès, l'effet d'un
débordement sur la froideur marmoréenne du corps. Ces
actrices pleurent, parce leur sentiment perce la matière de la
voix, et s'écoule hors d'elle. Cependant que Berma brouille
l'écart entre « une particularité physique [et] une supériorité
d'âme »[39], entre dedans et dehors, comme ce son d'un grand
violoniste : « une intention discernable et concrète s'y était
changée en quelque qualité du timbre »[40]. À nouveau, le caractère discernable de l'intention, et donc la validité du couple
intention-effet, se dissout au profit d'une conversion de l'intention en timbre – de l'esprit en propriété du son. Pressons le
pas : *les bras* de la Berma sont, comme la voix, mus par
l'émission des vers, prolongeant le *continuum* jusqu'aux mouvements du corps. *L'attitude* en scène procède de « raisonnements d'une autre profondeur que ceux dont on apercevait la

---

36. *Ibid.*, p. 347.
37. *Ibid.*
38. *Ibid.*
39. *Ibid*, p. 348.
40. *Ibid.*

trace dans les gestes de ses camarades »[41]. Ils sont pensés, résultent d'un choix de pensée. Mais quand chez les partenaires cette pensée laisse des traces dans les gestes, et montre dans les postures du corps son reliquat, son dépôt, chez Berma ils sont « fondus dans une sorte de rayonnement »[42]. Fusion, confusion, unité – sans doute. Mais le narrateur ajoute : ces « raisonnements » ont ceci de singulier, qui les distingue, qu'il s'agit « de raisonnements ayant perdu leur origine volontaire »[43]. *La volonté de l'actrice* sort du jeu. L'actrice ne veut pas ce qu'elle montre, pas même les « raisonnements », la pensée dont son jeu témoigne, de sorte que « le spectateur fasciné [le] prenait non pour une réussite de l'artiste mais pour une donnée de la vie »[44]. Et l'indistinction se communique à la matière la plus externe, le costume, « *ces blancs voiles* eux-mêmes, qui [...] semblaient de la matière vivante »[45]. Encore qu'ici (ici seulement), cette union de la matière et de la vie soit désignée comme apparence, semblance – ce qui n'était pas le cas des lignes précédentes. À la fin de cette page (qui est aussi une phrase, une seule phrase), le narrateur rassemble le mouvement qui l'a conduite : « tout cela, voix, attitudes, gestes, voiles, n'étaient, autour de ce corps d'une idée qu'est un vers (corps qui au contraire des corps humains n'est pas un obstacle opaque mais comme un vêtement purifié, spiritualisé) [...] que des coulées de substances diverses, devenues translucides, dont la superposition ne fait que rétracter plus richement le rayon central [...] »[46]. Après ce long phrasé, l'alternative se récapitule : il s'agit ici du *corps d'une idée*, d'une idée physique, incorporée – mais ce corps n'est pas ordinaire, ni humain, il n'est pas cette matérialité opaque et lourde, on ne le saisit que comme vêtement purifié, spiritualisé, comme coulée, translucidité, rayonnement. Le modèle est complexe : il ne récuse en aucune façon la corporéité du jeu.

---

41. *Ibid.*
42. *Ibid.*
43. *Ibid.*
44. *Ibid.*
45. *Ibid.*
46. *Ibid.*

Il ne le réduit pas à une vocalité qui s'extrairait du corps, ou le nierait. Ici opère une transformation du corps, sa transmutation, littéralement sa *transsubstantiation* qui purifie, spiritualise : change le corps en enveloppe translucide qui enveloppe et réfracte le rayon central – « matière imbibée de flamme »[47].

Toute la description que livre le narrateur fonctionne ainsi comme une arme à double détente, visant une cible que l'on peut dire *théorique*. Proust, dans ces pages, semble vouloir atteindre et faire chuter le modèle de *l'opération* (matière recevant l'imposition d'une forme, résultant de l'antériorité d'une idée), et celui de l'intentionnalité prévisionnelle, de la *volonté* opératrice, inaptes à faire valoir le « talent » de la Berma[48]. Or, ces dispositifs théoriques, attaqués pour leur impuissance à comprendre le jeu de Berma *sont des modèles de l'action*. C'est *l'activité* de Berma, son opérativité ou son opérationnalité, que Proust met à distance. Au profit de quoi ? Non d'une inertie de l'actrice évidemment. Notons quelques termes où se joue son opposition. Dans cette page, il marque positivement la *transparence*, l'*intériorisation*, la *résorption*, l'*indistinction*, l'*imbibé*, le *délicatement assoupli*, la *source inanimée*, la *palpitation*, l'*exténuation*, la *matière vivante*, la *contraction fragile et frileuse*, la *coulée*, la *translucidité*, la *réfraction*, le *rayon qui traverse*. Termes et syntaxes assurément évocateurs, puissants, élogieux, vivement métaphoriques : mais qui font très peu signe vers une pensée de *l'action*. Tout au contraire : l'action trouve ses schémas et modèles du côté de la pensée caduque, obsolète, à congédier, avec laquelle il faut en finir pour approcher le jeu et communier avec lui : étude, avance, prévision, idée, trouvaille, effet, discernement, raisonnement volontaire. Ce dont il s'agit dans le jeu est une tout autre intrigue : que l'on peinerait à caractériser ici mieux que ne le fait Proust lui-même, mais qui ne relève pas d'un principe d'activité. *Ce que fait Berma*, dans

---

47. *Ibid.*
48. C'est dans cet élan qu'il en vient à délaisser la pensée (la pesée) du talent, pour questionner le génie.

la deuxième « scène » : elle *joue*, sans aucun doute, avec génie. Mais le problème est bien celui-là : de quelle sorte d'action (s'il s'agit d'une action) est le *jeu* ? Quel est ce jeu que jouent les acteurs, au regard d'une action qui ne cesse d'échapper si l'on tente de la capter dans ses modèles ordinaires : intention, volonté, opérationnalité ?

2. SARTRE

Dans le premier volume de *L'Idiot de la famille*, Sartre consacre, de façon un peu inattendue, plusieurs passages à une réflexion sur l'acteur. Ces pages[49] offrent un approche bien différente de celle de Proust. D'abord par le poste d'observation qu'elles élisent. Je l'ai dit, la pensée de Proust se forme *depuis la salle*, elle s'amarre au point de vue d'un spectateur[50]. Celle de Sartre n'est pas plus une pensée d'acteur, formulant la pratique de la scène. Elle articule une réflexion élaborée par *un observateur des répétitions*. « Après de nombreuses répétitions, j'ai constaté que de nombreux acteurs [...] », etc. C'est un angle de vue singulier : ni acteur, ni spectateur ordinaire, celui qui réfléchit est l'auteur qui assiste à la préparation du spectacle. Ce point de vue voisine avec celui du metteur en scène, mais ne se confond pas avec lui (même si, me semble-t-il, si un metteur en scène pourrait reprendre à son compte telle observation). C'est, en un sens, le point de vue de la production : de ceux qui contribuent, dans cet étrange espace qu'est un théâtre fermé, à l'élaboration progressive de la présentation future, point de vue qui se dissipera une fois l'œuvre présentée, comme la *poiésis* se résorbe dans la chose faite, dans le résultat.

---

49. Reprises dans *Un théâtre de situations*, Folio-Essais éd. 1992, pp. 211 sq.

50. Sur cette divergence des théories de l'acteur formulées depuis la salle ou depuis la scène (jusque dans le face-à-face des deux interlocuteurs du *Paradoxe sur le comédien*), cf. *Le Théâtre est-il nécessaire ?*, *op. cit.*, pp. 61 sq. Ce point de vue de spectateur éclaire sans doute en partie relatif privilège de la figure de l'actrice, en particulier au XIXᵉ s. *Cf.* ci-dessus, n. 2, p. 122.

Or Sartre se pose exactement la question de savoir ce que font, et ne font pas, les acteurs sur scène. Sa réponse surprend. « Après de nombreuses répétitions », écrit-il, « j'ai constaté que la plupart des acteurs sont incapables sur scène de *représenter* la conduite affirmative. Dès qu'ils jouent, l'action cède la place à la passion.[51] » La proposition sartrienne, que l'on découvre pas à pas dans tout le début de ce passage, peut être décrite ainsi. Dans la vie, on affirme ou on nie (ce qui revient ici au même). Les acteurs, évidemment, à la ville, ont des conduites de cet ordre[52]. Les personnages des pièces tout autant. Or, ce que vise Sartre en évoquant ces conduites (« affirmatives », mais pas au sens logique, puisque les négations en sont aussi, plutôt au sens existentiel : fondées sur une assertion portant sur la réalité du monde, mettant en cause un rapport à la vérité, *pratiques* donc, on va le voir), ce sont : des actes. « Les pièces de théâtre comportent beaucoup d'affirmations ; les personnages peuvent se tromper, affirmer par passion, truquer leurs évidences, n'importe : ils voient et disent ce qu'ils voient, *la démarche tout entière est un acte.*[53] » L'acte est donc une *conduite affirmative*, au sens où il implique une position touchant le réel, *une thèse sur le monde*. L'acte suppose que l'on dise : le monde est ainsi. Symétriquement, la « conduite affirmative » est un acte – même fausse, même nourrie de passion, si elle engage un rapport au réel, et donc la possibilité de se conduire dans ou devant lui. Il se trouve que si les personnages, dans l'univers de la fiction, se livrent à de telles conduites, et si les acteurs « à la ville », comme tout un chacun, s'y adonnent aussi, *les acteurs en scène en sont incapables*. Entre le personnage (de fiction) et la personne (réelle), tous deux actifs, l'acteur en scène est, lui, radicalement privé d'action, ou d'activité. Cela, *l'observateur des répétitions peut le voir*. En effet, l'acteur, pour « jouer », doit s'extraire de la conduite affirmative, et donc de l'acte, ne rien affirmer ou nier sur le réel du monde. Comment le peut-il ? En substituant à la thèse sur le monde une épreuve sur soi : en

---

51. *Op. cit.*, p. 210. Sartre souligne.
52. *Ibid.*
53. *Ibid.* Je souligne.

changeant l'action en passion. « Dès qu'ils jouent, l'action cède la place à la passion. Écoutez-les : ils souffrent ce qu'ils disent.[54] » Donc, si un acteur doit formuler un constat, même le plus factuel, il ne dira rien sur l'état des choses, du réel (ce serait un acte), mais transformera l'énoncé en épreuve de et sur lui-même. « À peine a-t-il dit : "le temps s'est gâté", nous savons déjà que nous entrons dans le monde des pleurs et des grince-ments de dents : il ne *sait* pas que le temps s'est gâté ; à ce qu'il semble, il sent je ne sais quelle tristesse dans ses os qui lui arrache cette phrase comme un cri.[55] » Ici transparaît l'obser-vateur des répétitions : au moins dans une certaine époque du théâtre et pour un certain type de jeu. Car l'acteur ne peut se satisfaire d'avoir à formuler un constat – ou une thèse, même une hypothèse. Aurait-il à l'exprimer dans la plus extrême froi-deur observatrice, la froideur du constat deviendrait un *état*, et non une tâche. Ceci résulte, aux yeux de Sartre, de l'impossibi-lité de l'action sur la scène. « Puisque la *praxis* est rigoureuse-ment bannie de toute représentation, on remplacera la fermeté volontaire par les emportements de la sensibilité.[56] » On se trouve ici à l'exact opposé de la thèse aristotélicienne, qui faisait du « théâtre » – même si le philosophe n'emploie pas le terme à ce propos – le lieu par excellence de la *praxis*, de l'imitation de la *praxis* et de la *praxis* de l'imitation[57]. Ici, aucune pratique, aucun acte sur la scène – tant que la représentation y règne. « Qu'un prince dise : je suis prince, c'est un acte ; mais Kean, s'il se déclare prince de Danemark, *c'est une passion soutenant un geste. Le discours théâtral n'offre pas de prise aux actes verbaux.*[58] » L'acteur ne commet aucun acte : seulement des

---

54. *Ibid.*
55. *Ibid.*, p. 212. Sartre souligne.
56. *Ibid.*
57. *Cf.* ci-dessus, « Entre poésie et pratique », particulièrement pp. 41 *sq.*, et « Raison du drame », pp. 91 *sq.* On se souvient que Dupont-Roc et Lallot, auteurs d'une traduction de la *Poétique* qui fait autorité (Seuil, 1980), rendent *mimèsis* par « représentation ».
58. *Ibid.*, p. 213. Je souligne. En ce qui concerne la différence entre le geste et l'acte en scène, on pourra consulter, entre autres, *Kean*, précisément. Par ex. A. Dumas, *Kean*, adaptation de Jean-Paul Sartre, Gallimard [1954] 1998, pp. 65, 177, 178. La pièce contient de nombreux développements autour de la problé-matique ici décrite.

gestes. C'est-à-dire des comportements physiques dépourvus de l'intentionnalité, de la « fermeté volontaire », et de l'engagement dans le réel qui font les actes. Et s'il n'est pas un simple pantin agité, c'est que ces gestes sont soutenus par des passions : c'est-à-dire des modalités de l'éprouver, du sentir. L'acteur est affecté, pas agissant. La scène est l'espace des affects – relayés par des mouvements physiques qui en consignent la visibilité – non des actes. Car l'acte n'a rien à voir avec le geste visible. L'acte est affaire de position, d'engagement, de sens. Mais en scène, le discours n'offre pas plus de prise aux actes, verbaux par exemple : ni à eux, ni aux autres. La scène est l'espace de constitution et de production de la fiction, et « l'acte [...] déchire la fiction »[59]. Bien différemment de ce qui avait lieu chez Proust, se produit ici, à nouveau, l'institution d'un écart très marqué entre l'acteur et le régime de l'action. Tout se passe comme si l'acteur, malgré son nom – et Sartre, à la différence de quelques autres, écrit ici très rarement « comédien », mais bien « acteur » : la tension lexicale ne lui échappe pas – était précisément celui, en scène, qui n'agit pas. Chez Proust, on pouvait l'inférer, le supputer, parfois le déduire. Sartre, qui se meut dans l'élément du concept, l'articule explicitement. L'acteur est exclu, banni du territoire de l'action. Curieuse dénomination alors, tout de même.

3. Rousseau

Dans *Poétique de l'histoire* qui, comme son titre ne l'indique pas tout à fait, est un livre sur le théâtre, Philippe Lacoue-Labarthe repère « quatre erreurs » que, « conformément aux classiques, [Rousseau] commet sur le texte d'Aristote ». Caractérisant chacune de ces « quatre erreurs, toujours les mêmes, [...] bien connues », Lacoue-Labarthe formule comme suit la première d'entre elles : « La tragédie, sinon la "Scène, en général", est la représentation d'une *action*, non des "pas-

---

59. *Ibid.*, p. 214.

sions" » [60]. L' « erreur » de Rousseau serait donc de condamner la scène comme lieu de présentation ou de figuration des passions, en croyant ainsi récuser la doctrine aristotélicienne de la *catharsis* : comme Lacoue-Labarthe le rappelle, en effet, Rousseau émet, dans la *Lettre à d'Alembert sur les spectacles*, des doutes sur la possibilité pour la *catharsis* (et donc pour le théâtre), d'épurer, de purger ou de purifier quelque passion que ce soit. Mais, objecte Lacoue-Labarthe, Rousseau, comme « les classiques », se trompe dans sa lecture, en ne voyant pas que pour Aristote la scène ne présente pas des passions, mais représente (ou imite : met en jeu une *mimèsis*) des actions. La scène est *mimèsis praxeôs*, imitation ou représentation d'actions, et non de passions. C'est ce que Rousseau et les classiques méconnaissent. Là se trouve leur (première) [61] erreur.

Si « erreur » il y a, elle n'est pas le fait d'une simple bévue, ou d'une distraction. Comme Lacoue-Labarthe le note, elle est partagée par les classiques, dans leur majorité. C'est dire que l'« erreur » a une fonction, répond à une nécessité – ou au moins témoigne d'une histoire. On pourrait dire que l'histoire de la lecture de ces lignes de la *Poétique*, et précisément de sa lecture « classique », est l'histoire de cette erreur – *l'histoire d'une erreur* [62] : la poétique classique s'étant formulée, en grande partie, dans et par le commentaire infini de cette seule phrase. La marche de l'erreur, si erreur il y a – en tout cas l'inflexion, que marque le recouvrement d'un terme par l'autre – ne tient pas du faux-pas, mais témoigne d'une direction, d'un sens. J'ai montré ailleurs qu'on peut en suivre le tracé au sein d'un écrit de Pierre Nicole, qui d'une page à la suivante, saute d'une définition par l'action à un modèle passionnel [63]. Mais on remarque aussi,

---

60. P. Lacoue-Labarthe, *Poétique de l'histoire*, Galilée 2002, p. 89.

61. C'est la seule dont je m'occupe ici, les autres ne concernant pas directement la question que je tente de poser.

62. *Cf.* P. Lacoue-Labarthe, « La fable », in *Le sujet de la philosophie, Typographies 1*, Aubier-Flammarion, 1979, p. 16 – à un tout autre propos, bien sûr. (F. Nietzsche, « Comment, pour finir, le « monde vrai » devint fable, Histoire d'une erreur », in *Crépuscule des idoles*, trad. J.-C. Hemery, Gallimard, Folio-Essais, 2003, p. 30).

63. *Cf.*, à propos de cette époque et de ces questions, G. Forestier, *Passions tragiques et règles classiques*, *op. cit.*.

en l'occurrence, que cette substitution discrète va de pair avec un changement d'axe, un déplacement moral, idéologique, théologique même. La différence des définitions sépare des attitudes quant à la valeur du théâtre, quant au sens de la représentation mimétique en générale. Le choix d'une manière de définir vaut ainsi comme *prise de parti* sur l'essence et la valeur de la scène[64].

On peut se demander pourquoi cette question se voit convoquée ici, puisqu'elle semble concerner l'écriture plutôt que le jeu – l'action (dramatique) plutôt que les acteurs (et leurs actes). Il me paraît utile de remarquer que l'histoire que je viens d'évoquer – celle de la poétique classique comme histoire de cette « erreur », l'histoire de cette mue dans l'expression du rôle et de la valeur de la scène – se trouve être exactement contemporaine de l'émergence de la profession d'acteur. C'est au début du XVIIe siècle, en France (mais la chose vaut aussi, avec des variations, pour plus d'un pays européen) qu'apparaissent les premières compagnies de comédiens professionnels. La condition d'acteur devient un *métier*, c'est-à-dire à la fois une fonction distincte, exercée pour elle-même avec une certaine permanence, et une forme de vie publiquement manifestée, visible, *professée*. C'est aussi – l'affaire n'est pas sans lien – le temps où des actrices montent sur scène. Il y a quelque chose à penser de cette simultanéité : entre le changement de conception de la scène (de sa position *praxéologique* à son imputation *pathologique*), et l'émergence de la profession de comédien. Moment de la grande mutation qui conduira, de la considération du *drame* comme espace de représentation des actions, à la pensée de la *scène* elle-même, dans son autonomie, comme lieu d'exposition et de présentation, d'exhibition pure[65]. Pourtant, les deux aspects vus ici

---

64. *Cf.* ci-dessous, « Contagion et purgation », en particulier pp. 191 *sq.*
65. Ce balancement ou ce transfert occupera de plus en plus la pensée (et la pratique) du théâtre, pour culminer au cours du XXe siècle. *Cf.* , parmi mille autre exemples, mais avec une clarté particulière, ce mot de W. Benjamin : « Ce dont il s'agit dans le théâtre d'aujourd'hui se définit plus exactement par rapport à la scène que par rapport au drame ». « Qu'est-ce que le théâtre épique », in *Essais sur Brecht*, éd. R. Tiedemann., trad. P. Ivernel, La Fabrique éditions, 2003, p. 18.

comme concomitants sont rarement pensés dans leur lien. Parfois, l'articulation est nette, cependant. Dans l'ouvrage de Nicole évoqué ci-dessus, le passage d'une définition à l'autre se confond avec le transfert de la question du drame à celle de la scène, ou des actions aux acteurs. Dans un premier temps, Nicole écrit : « La Comédie [...] est une représentation d'actions et de paroles comme présentes, quel mal y a-t-il en cela ? » – définition à peu près canonique (hormis l'emploi du mot « comédie »), de type plutôt dramaturgique, ou aristotélicien[66]. Et un peu plus loin : « C'est un métier [...] où des hommes et des femmes paraissent sur un théâtre pour y représenter des passions de haine, de colère, d'ambition, de vengeance, et principalement d'amour. » Le passage à la vision passionnelle, ou pathologique, fait ainsi accéder, d'un même mouvement, au problème des acteurs. On pourrait même voir dans l'usage du terme de *Comédie*, préféré à celui de tragédie, une des conditions de possibilité de la formulation, désormais, de la question du comédien[67].

À titre d'hypothèse, je suggère donc que l'émergence de la fonction et de l'autonomie de l'acteur est liée, d'une façon ou d'une autre, au déplacement général, profond, tectonique, de la compréhension (et de la mise en jeu) de la nature du théâtre : d'une « époque » où elle est vue principalement comme représentation ou *mimèsis* des actions, à une autre où elle sera pensée d'abord comme présentation ou exposition d'un pâtir – d'un sentir ou d'une souffrance. Aucun de ces deux immenses régimes ne veut être pensé comme cause ou déterminant du second : je ne saurais décider si l'émergence des acteurs est le fruit ou la racine de ce changement de pensée.

---

66. Et Aristote laisse à l'écart de sa définition la question des acteurs. Ceux-ci apparaissent (brièvement) ailleurs dans la *Poétique*, mais pas lorsqu'il s'agit de définir l'acte de représentation.

67. Question très vaste, qu'il faudrait (qu'il faudra) poser et traiter pour elle-même. C'est celle du statut de la comédie en général, non seulement comme genre (comique) mais aussi comme terme valant pour désigner le théâtre dans son ensemble, et qui sera préféré à son antonyme tragédie. Cette question a un rapport, réglé, avec l'émergence de la figure du comédien professionnel (comme dans l'actuelle Comédie-Française). L'une et l'autre pratiques (celle de la comédie, et celle du comédien) s'étant nourries d'apport italien.

Je m'en tiens à l'observation que ces deux phénomènes (« passage à la passion », et mise en vue des acteurs) sont étroitement liés, et valent sans doute, l'un et l'autre, comme traits d'un changement du monde et des temps. Mais la conséquence pour ce qui nous occupe n'est pas mince : il faut décidément incliner à penser que ce qui marque le *faire* des acteurs en scène *n'est pas* leur capacité d'agir. Les acteurs deviennent visibles et pensés comme tels, distincts de leurs rôles et faisant métier de leur occupation, dès lors que sur scène on souffre plus qu'on n'opère. Les acteurs ne sont pas des agents : ce qui leur arrive sur les planches n'est pas une *mimèsis praxeôs* – au moins pour un moment, une « époque » du théâtre. On en reparlera peut-être, tout autrement, beaucoup plus tard[68]. Mais quand se constitue le régime dominant du théâtre qui fut le nôtre, la chose la plus remarquable à propos des acteurs semble bien être qu'ils n'agissent pas.

4. NOVARINA

Est-ce à dire, alors, que les acteurs ne *font* rien ? Qu'il leur suffit d'être – en scène, là, abandonnés, inertes ? Peu probable, si l'on en juge par l'énergie qu'ils consument et leur épuisement ordinaire. Il doit bien se tramer sur scène une autre sorte de dépense, un autre régime du faire. J'en cherche la trace chez Novarina, qui s'écarte des auteurs questionnés plus haut, en ce qu'il veut penser *depuis la scène*, et campe avec la dernière énergie sur le plateau. Non qu'il pense en acteur, ou comme acteur : Novarina joue très peu. Il lit, profère avec ardeur et prise de l'espace. Ce qui ne l'empêche pas d'écrire *pour la scène* – je parle de ses textes les plus théoriques, où s'énonce le propos le plus réflexif, spéculatif[69]. Comment

---

68. *Cf.* ci-dessus, p. 22.
69. Tous les textes de Novarina, sans exception à ma connaissance, sont spéculatifs, et développement un propos de nature théorique. Et aucun ne se déploie strictement sur le mode usuel du texte de réflexion. Poésie toute pensante, ou pensée : poésie cependant, située du côté de la poésie dans « l'antique différend » entre poésie et philosophie (*cf.* Platon, *Rép.* X, 607 b-c) Il se trouve

Novarina occupe-t-il le point de vue de la scène, s'il ne parle pas en acteur ? De deux façons. D'abord, il est l'allié des acteurs. Ceux-ci sont en lutte, mènent un combat ou doivent soutenir le combat qu'on leur livre[70]. Dans le conflit, Novarina écrit de leur côté, choisit son camp. Deuxièmement, il leur donne la parole. La parole des acteurs n'est pas celle des rôles. Celle-ci est prêtée aux acteurs par les écrivains, les poètes. À eux temporairement confiée. Novarina veut passer outre : donner la parole aux acteurs, la leur offrir. C'est pourquoi il construit l'énorme prosopopée de Louis de Funès[71]. De Funès parle, on se répète ses mémorables aphorismes et sentences aiguës. Mais de Funès n'a rien dit de tout cela : Novarina lui offre ces paroles, les fait passer par sa bouche. Il lui faut un acteur qui parle, même dans les livres, hors de scène.

Que font les acteurs, vus de la scène où Novarina résolument se place ? D'abord, ils *entrent*. Dans sa presque intégralité, le manifeste *Pour Louis de Funès* est une longue méditation sur l'entrée en scène de l'acteur. Qui procède à une réfection complète du concept d'entrée, en le retournant sur lui-même et en froissant tout ce qu'on croyait y connaître du pli du dedans et du dehors. Car, à la différence de la Berma (attendue, espérée, objet de dévotion dans la pré-vision de son épiphanie[72]), l'acteur selon Novarina, s'il entre, ne sort pas de l'obscurité ou du trou de l'absence pour accéder à la pleine lumière d'un être-là en scène enfin dévoilé. La structure métaphysique de l'entrée novarinienne est plus inédite – même si elle connaît des antécédents, mystiques en particulier. En vérité, « il n'y a

---

néanmoins que dans ce corpus théorique, certains textes paraissent (et ont été pratiquement) orientés vers la production scénique. J'évoque ici plutôt ceux qui semblent réservés au livre, et voués à la méditation. C'est à Olivier Dubouclez (*L'Enfant de destruction*, mémoire de DEA soutenu à l'Université de Paris-Sorbonne en juin 2003) que je dois l'impulsion de les lire, ou de les relire de cet œil.

70. *Cf. Lettre aux acteurs, op. cit.*, par ex. pp. 16-17.

71. *Cf. Pour Louis de Funès*, in *Le Théâtre des paroles, op. cit.*, et « Demeure fragile », in *Devant la parole*, POL 1999.

72. Il s'agit donc d'une Berma imaginée, désirée, préfigurée, dont on a vu que la *Recherche* donnait aussi à comprendre la vanité, l'irréalité intrinsèquement déceptive.

pas de porte pour entrer en scène » [73]. Pourquoi ? Une porte suppose qu'on quitte un extérieur, pour accéder à une pièce, ou l'inverse. La porte pour entrer en scène, s'il en est une, il s'agit non de la franchir, mais de « passer dessous ». Ce passage suppose un aplatissement, un évanouissement, un anéantissement de soi. « Ça se voit tout de suite, quand un acteur est entré, s'il est passé ou non *sous* la porte, s'il entre bien détruit, passé à néant ou non. [74] » L'entrée en scène est un suicide. « L'acteur, [...] c'est en suicidé qu'il entre. "Un désespéré vient encore de se jeter en scène." [75] » Mais ce suicide, pour anéantissant qu'il soit, ne s'épuise pas dans l'annihilation : il est aussi, ou d'abord, une naissance [76]. Une renaissance même. « Si Louis de Funès entre, c'est simplement pour tenter chaque jour encore une fois de renaître autrement. [77] » Suicide-naissance, anéantissement subi dans l'appel à renaître, on repère là une métaphysique commune. Négativiste d'abord : qui pose l'acteur comme puissance d'abolition. Dialectique ensuite, qui dégage dans cette négation même une issue. Sacrificielle enfin, ce qui revient peut-être au même. On peut désigner cet ensemble d'un mot, qui se trouve sous la plume de Novarina : c'est bien à la *passion de l'acteur*, figure christique [78], que l'on assiste. Repérons dans le texte trois sortes d'incidences de cette mystique dont l'acteur est la nouvelle icône.

a) Le schéma, disions-nous, est sacrificiel [79]. Il s'agit bien de *passion*, c'est-à-dire d'actions destituées, *renversées* pour être exhibées dans leur renversement. « Mort en lui-même et respirant, [...] *n'entraînant pas d'autres actions que de passion*, l'acteur porte devant lui toutes ses actions portées devant

73. *Pour Louis de Funès op. cit.*, p. 117.
74. *Ibid.*
75. *Ibid.*
76. *Ibid.*, p. 116.
77. *Ibid.*, pp. 116-117.
78. « L'acteur marche sur les eaux. » *Pendant la matière*, POL 1991, rééd. 2001, p. 14.
79. « Les spectateurs viennent voir les morceaux de Louis de Funès se séparer. Il n'y a qu'une chose qui pousse le public à aller au théâtre : c'est l'espoir d'assister en vrai à la Séparation des corps. » *Pour Louis de Funès, op. cit.*, p. 131.

lui en avant, renversées loin et séparées [...].[80] » Il ne s'agit donc pas tant d'abolition de l'action que de sa déposition, de sa défaite et de l'exposition de son reste démembré. b) Ce renversement, cette action destituée ouvre à une incarnation : « Le théâtre est la passion de la pensée dans l'espace »[81]. Incarnation passionnelle – souffrante, patiente, passive – mais résurrectionnelle aussi, résurgente et relevante, par allègement et dissipation. « Avec leurs corps légers, libres, volcaniens. Ils ont été des artistes si volatils que s'il y avait un tombeau de l'Acteur Inconnu, mieux vaudrait ne rien mettre dedans.[82] » On pourrait citer longuement ces passages qui jouent discrètement ou brutalement des références multivoques aux *Passions* évangéliques. c) Mais qui *en jouent* : car ce qui déroute ici le schéma dialectique du sacrifice de l'acteur – qu'on pourrait croire importé tout droit du modèle de l'artiste romantique, sacrifié sur la croix de sa création – c'est que la passion est dite, avec insistance, *comique*. Comique comme *L'Illusion* cornélienne, sans doute, passion de comédiens et de comédie, au sens général du mot. Mais aussi, sans vergogne, « comique passion en paroles »[83], comique comme l'était de Funès éminemment, drôle, portant au rire, burlesque, pitre, farceur, ou plus au fond échappant sans recours au schème métaphysique de la tragédie[84]. « L'acteur Louis de Funès [...] est un singe très saint, qui rend très saintes les choses comiques et très comiques les choses sacrées.[85] » L'assignation du comique et de la comédie passe ici largement, on le voit, l'imputation générique. Elle l'outrepasse – la passe et l'outre – sans rien effacer du comique de la comédie. Comique réclamé dans sa hauteur, sa dignité foncière. « Le comique pur est une transparence invisible. Le rire a vue absolue. Au dessus de tout :

---

80. *Ibid.*
81. *Pendant la matière*, *op. cit.*, p. 40.
82. *Pour Louis de Funès*, *op. cit.*, p. 141. Ou encore « Un tombeau vide : toute la matière est restée là. » *Devant la parole*, POL 1999, p. 33.
83. *Pour Louis de Funès*, *op. cit.*, p. 137.
84. « L'acteur revit ça devant nous chaque jour, dans sa passion comique de respirer et de parler. » *Ibid.*, p. 145.
85. *Ibid.*, p. 148.

le comique cristallin.[86] » On a bien lu : absolue, *au dessus de tout*. Le comique, transcendance impétueuse : « Parce que le fond du monde, parce que socle qui est visible à l'intérieur est un noyau comique de rythmes pulsés. Comique parce que le monde – parce que tout le monde – a été fait par un enfant en riant.[87] » La référence à de Funès – comique parmi les comiques, populaire, presque troupier – n'est donc pas requise par une semi-provocation amusée, par snobisme à rebours. La jonction avec Helen Weigel, symbole dans ces années du brechtisme le plus solennel, et pourtant appelée ici aux côtés du français bouffon et grandiose[88], ou encore l'invocation réitérée, fidèle, à celui-ci bien des années plus tard, jusqu'au sein du commentaire mystique de *La Madone entourée d'anges et de saints* de della Francesca[89], l'attestent avec tranchant. La « passion de l'acteur » est assumée pleinement, théorique et poétique à la fois, dans ce style d'une écriture poétique comme puissance de pensée, à peu près au sens où la requérait Heidegger – *au comique près, ce qui n'est pas rien*. Heidegger frelaté de Bakhtine, romantisme encanaillé dans Rabelais. On pourrait en appeler à Kleist, qui s'y entendait en comédie – et en art des comédiens. Ou à Hugo, pourquoi pas.

Passion de l'acteur, donc. Mais en quoi nourricière de la pensée qui nous occupe : sur le *faire* des comédiens ? Il faut, pour l'apercevoir, traverser encore deux strates de la pensée de Novarina. « Louis de Funès disait en sortant : « Ils sont venus assister à la passion de l'acteur qui représente les passions » ». Phrase étonnante, qui associe avec rigueur les deux pans de notre problème, l'exacte dualité que nous voulons approcher. D'une part, *l'acteur représente bien les passions*. Nous voilà sortis, irrémédiablement, du régime de la *mimèsis praxéôs*, et l'erreur de Rousseau nous fait accéder à une vérité de la scène : l'acteur est aux prises, non plus avec le drame des actions, mais avec l'épreuve des passions. Et d'autre part,

---

86. *Pendant la matière*, op. cit., p. 13.
87. *Pour Louis de Funès*, op. cit., p. 138.
88. *Ibid.*, p. 115.
89. « Demeure fragile », in *Devant la parole*, op. cit. (1999), pp. 100 *sq.*

cette *tâche de l'acteur* (représenter les passions), engage une passion de l'acteur. Il faut alors s'interroger – à supposer qu'on veuille créditer la formule d'un peu plus que d'un jeu de mots, ou de nous ouvrir, avec le jeu des mots et par lui (par son comique) à une pensée du jeu. Que signifie *passion de l'acteur*, qui soit en rapport avec la *tâche de l'acteur* (de représenter les passions) ? À mes yeux, ceci : qu'une passion ne se joue qu'à travers un chemin de passivité, de pâtir, de patience. Que l'acteur, depuis son (notre) affranchissement du régime de l'agir dramatique – c'est-à-dire, peut-être, depuis qu'est apparu le métier de l'acteur comme tel, sa profession – doit souffrir ce qu'il endure, non le supporter comme douleur (quoique cela aussi, parfois, évidemment), mais plus profondéement le *recevoir*, y être ouvert ou en accueillir la prise en soi comme acceptation ou consentement[90]. Un certain consentement de l'acteur, peut-être tout proche de sa rébellion intime, intriqué, imbriqué en elle, vaut comme passion : réception passive, d'une passivité transcendantale et non soumise, en ce sens *féminine*. « Tous les grands acteurs sont des femmes »[91]. L'acteur n'engendre qu'en tant qu'il reçoit, et s'ouvre transcendantalement par cet accueil à sa disparition[92], qui est aussi une naissance. C'est sa « naissance comique »[93].

Pour approcher ce faire singulier de l'acteur, tenter de le penser de façon plus serrée et plus rigoureuse, Novarina use d'un concept, qu'à ma connaissance il forge : celui de *désaction*. Notion qu'il applique, en plus d'une circonstance et avec

---

90. « Comme l'acteur, je cherche la défaite de soi : se retirer, laisser parler notre langue, laisser peindre les couleurs, laisser penser les mots... Énormément de travail, beaucoup de méthode et de soins méticuleux sont nécessaires pour parvenir au *laisser-faire :* c'est le moment où la matière se délivre d'elle-même et où les choses se donnent dans leur fugue. Il s'agit de recevoir, non pas de transmettre, communiquer, exprimer. Devenir le capteur de tout : celui qui est ouvert, offert. » *Devant la parole, op. cit.,* p. 63. Aussi p. 26, et *Pendant la matière, op. cit.,* p. 25.

91. *Lettre aux acteurs,* in *Le Théâtre des paroles,* op. cit., p. 25. « Les acteurs sont des corps fortement vaginés, vaginent fort, jouent l'utérus : avec leur vagin, pas avec leur machin. » *Ibid., id.*

92. « Louis de Funès savait bien tout ça. Qu'être acteur c'est pas aimer paraître, c'est aimer énormément disparaître. » *Ibid.,* p. 118.

93. *Ibid.,* p. 116.

le plaisir du paradoxe, à l'agir de l'acteur. Tentons d'en savoir plus. Il est significatif que, parmi les diverses occurrences du terme[94], une des plus explicites (si l'on peut dire) apparaisse dans des lignes qui *prennent au mot* la question que nous posons depuis le début de ces pages. Voici :

« L'acteur qui entre sait bien qu'*il y a toujours quelque chose de mieux à faire que de faire quelque chose*. Il sait qu'il ne va rien commettre, ni exprimer, ni agir, ni exécuter. Sans partition, sans parcours obligé, ni danseur, ni musicien, l'acteur ne commet qu'une désaction. Il n'y a rien à jouer. Seulement tenir toutes choses à leur naissance.[95] »

Abyssales formules. Peut-on les *lire*, ou faut-il se laisser seulement capter, circonvenir par elles ? Risquons trois prudentes remarques. Premièrement, l'usage du concept participe d'une habitude compulsive de la raison théorique récente, qui use et abuse des formules privatives, ou soustractives, pour penser selon un mode critique, négatif, renversé. C'est ce que Michel Deguy appelle, dans un sourire affectueux, *le coup de dé*[96] : déconstruction, désenchantement, démythologisation, et tant d'autres[97] – manie à laquelle Novarina sacrifie avec inventivité[98]. Ce tour lui-même prend place dans une stratégie

---

94. Par ex. : « L'action de l'acteur est désagie, d'un instant, d'un trait : il n'y a rien à voir qu'un aperçu ouvert, une échappée. » (*Devant la parole, op. cit.*, p. 83), ou : « L'acteur n'est pas un animal qui habiterait l'espace bêtement, mais un pratiquant de la désaction qui passe dans toutes ses traces à l'envers. » (*Pour Louis de Funès, op. cit.*, p. 135).

95. *Pour Louis de Funès, op. cit.*, p. 126. Je souligne.

96. « Vérité de révélation et vérités de jugement : axiomatique pour une poétique généralisée », *Conférences Roland Barthes*, Université Paris VII-Jussieu, 24-05-04.

97. Comme ce que j'ai proposé d'appeler *désart*, pour traduire la célèbre *Entkunstung* adornienne, généralement traduite par « désesthétisation ». *Cf.* « Ce que l'art demande », in *l'Exhibition des mots*, 2e éd. Circé-Poche, 1998, p. 94.

98. Par ex. : « Le théâtre fête la Déprésentation humaine » (*Devant la parole, op. cit.*, p. 80) ; « C'est pas d'la composition d'personnage, c'est de la décomposition de la personne, d'la décomposition d'l'homme qui se fait sur la planche » (*Le Théâtre des paroles, op. cit.*, p. 24) ; « Louis de Funès nous annonce un grand Théâtre Désadapté, un Théâtre Populaire pour Personne, un théâtre qui n'avance nulle part, ne démontre rien ni ne nous protège de quoi que ce soit. » (*ibid.*, p. 122) ; « L'acteur comique est transfiguré, [...] travestissant les destructions et prononçant disparition sur disparition » (*ibid.*, p. 136) ; « Nous

d'anthropologie négative, ou de théologie ananthropique, que Novarina revendique dans une réclamation incessante et intraitable du rien, du trou, du vide, du néant, du négatif. L'attitude mériterait une analyse, en vue de préciser en quoi elle participe, et en quoi elle s'écarte, des voies conformistes du nihilisme contemporain. Mais son but est de penser l'acteur en rupture avec tout positivisme, toute assomption d'une présence pleine[99], comme proférateur d'une parole qui ne *nomme* pas ce qui est, mais *appelle* (dénomme et convoque), en niant. Evacuation physique, matérielle, pneumatique, jamais logique seulement. Physique qui jamais n'agence des corps pleins, seulement des organes parlants et soufflants enroulés autour de la colonne d'un trou[100].

Deuxièmement (ce n'est pas sans un rapport, qui appellerait aussi l'analyse), la désaction s'inscrit dans schème de la passion, au moins au titre de la passivité. Le but, avant tout, est de mettre à mal le modèle actif de l'acteur. « Le bon danseur est dansé, le bon valseur valsé, et le bon acteur agi par un autre dont il revit sur le plateau la comique passion en paroles.[101] » Si « l'acteur est joué[102] », s'il est agi, c'est surtout qu'il n'agit pas, qu'il ne se comporte pas en sujet actif de l'action : ni maître de soi ni de l'univers, ni maître et possesseur de la nature, ni rassemblé dans l'espace sans dimensions de la saisie de soi et de la décision pure. L'acteur est tout

---

sommes venus ici pour porter le vide au milieu des choses. Voilà le déchaînement. » (*ibid.*, p. 141) ; ou « C'est au tour du Décréateur de jouer maintenant », (*ibid.*, p. 147 – ce dernier concept en résonance, on suppose, à la « décréation » pensée par S. Weil. *Cf.* « Décréation », in *La Pesanteur et la grâce* [1948], UGE 10-18, 1962, pp. 41-47).

99. « L'acteur n'est pas un créateur fier de sa progénition, mais un négateur profond » (*ibid.*, p. 125) ; ou encore *ibid.* pp. 134, 135, 136, 143, 145, etc.

100. « L'acteur sait respirer lorsqu'il connaît jusque dans son corps le profond mouvement négatif des mots et que la pensée avance en brûlant et niant, renversée et passant au travers de nous. » (*Pendant la matière, op. cit.*, p. 11). Sur la thématique du trou, de la colonne, de la parole, de la respiration, *cf.* également, parmi de très nombreuses occurrences, *ibid.*, pp. 24-25, 121-122, 129 *sq.*, etc. C'est Olivier Dubouclez qui a attiré mon attention sur cette constellation de textes et de concepts. *Cf.* ci-dessus, n. 69, p. 140.

101. *Pour Louis de Funès, op. cit.*, p. 137. *Cf.* tout le reste du paragraphe, et aussi *Pendant la matière, op. cit.*, p. 7.

102. *Ibid.*

entier traversé, par du souffle matériel, de la parole phy-sique[103]. L'acte de l'acteur, s'il y en a[104], est foncièrement impur, sa transcendantalité est intégralement compromise dans l'empirique et la passivité du corps et du souffle. C'est à ce titre que l'agir de l'acteur est une *réception* : « L'acteur est un animal parlé. Nous ne sommes pas des parlants, mais des animaux parlés, des êtres inanimés à qui la parole parle. [...] La parole nous est étrangère, elle vient du dehors et elle nous ouvre par dedans. [...] La parole est toujours comme une danse d'attente qui attendrait la parole. *Non quelque chose qui émet mais quelque chose qui reçoit.*[105] » L'acteur est donc le récep-teur d'une parole elle-même réceptive, il est l'émetteur de cette parole en tant qu'il la reçoit de dehors et qu'elle l'ouvre par le dedans. L'extériorité dont il s'agit ici est aussi bien tout interne, elle ouvre et fracture un chemin, un passage au-dedans du corps auquel l'acteur doit frayer l'accès[106]. Si l'acteur est prophète, c'est au sens de celui qui déblaie, ouvre les voies, dégage le chemin – ici c'est dans la broussaille encombrée de son corps, où doivent se percer les trous, s'ouvrir les espaces, se dégager l'espace libre et vide du temple[107].

Troisièmement. La désaction suppose une action qui, logi-quement au moins, lui est préalable. Quel statut pour cet agir initial que l'acteur a pour mission de défaire, délier, dénouer ? J'ignore ce qu'en dirait Novarina, les textes là-dessus ne sont

---

103. « la nature animale, matérielle de c'te parole qui sort du corps à l'homme » (*Lettre aux acteurs, op. cit.*, p. 17) ; « Et d'abord, matérialistement, renifler, mâcher, respirer le texte » (*ibid.*, p. 20).
104. Pour reprendre le tour réservé et prothétique qu'affectionne Derrida.
105. *Pendant la matière, op. cit.*, pp. 10 et 25. Je souligne.
106. « Les phrases sont des passages », *ibid.* p. 8.
107. Lc, 3, 4-6 (= Mc 1, 2-3, Mt 3, 2-3, Is, 40, 3-8 *sq.*) *Cf.* D.G., *Hypothèses sur l'Europe, op. cit.*, pp. 231-233. Au titre du prophétisme, on trouvera une étonnante résonance à ces textes dans Lévinas, *De Dieu qui vient à l'idée, op. cit.*, pp. 123-124, par ex. : « Inspiration ou prophétisme où je suis truchement de ce que j'énonce. » Le lien avec l'acteur, qui surgit pourtant en plusieurs lieux du texte (« L'éthique comme substitution à autrui », p. 123, ou « On peut appeler *inspiration* cette intrigue de l'infini où je me fais l'auteur de ce que j'entends », p. 124 – ce qui pourrait valoir comme exacte prosopopée du comé-dien) n'est pas explicite. Mais on peut y lire : « Que la subjectivité soit le temple ou le théâtre de la transcendance [...] » (*ibid.*). Temple ou théâtre : lieu vidé pour laisser passer une parole d'ailleurs. Toutes différences maintenues par ailleurs, évidemment.

pas très loquaces. Mais, dans l'espace que de mon côté j'explore, cette distinction donne à penser. En effet, elle porterait à suggérer que l'acteur, en quelque sorte, *désagit l'action*. Or l'action première, s'offrant comme théâtre, théâtre de l'agir et pratique du théâtre, c'est ce que la tradition désigne comme drame. S'articulerait ainsi au modèle un drame posé ou supposé par le jeu de l'acteur, drame fait d'actions dont *la tâche de l'acteur* serait de pratiquer la déposition, la décomposition ou la défaite. Tâche mûrie par le drame lui-même, quand il ouvre en son sein la niche des passions – excavation d'intériorité creusée, logée dans l'écartement progressif de l'indécision, raviné au devant de la décision à venir, espace « hamlétien » en quelque sorte[108]. L'acteur prendrait pied dans ces galeries obscures, en ferait sa demeure, pour *désagir* le drame, se laisser désagir en lui, déposer l'instance de maîtrise ou de souveraineté présupposée par la logique décisionniste de l'action. L'acteur : crise de l'action sur la scène. Si l'action (dramatique) est la mise en jeu dialogique de la raison décisionniste, l'institution du sujet de la décision comme point d'équilibre et de bascule (comme fléau) de la souveraineté[109], l'acteur, chemin de *mise en jeu* de l'action, serait le vecteur de sa désaction, de la déposition de sa souveraineté, de sa crise. L'acteur, crise et critique de l'action : ce serait la ressource du concept novarinien.

Pour accompagner ces hypothèses, il faut créditer la poésie de sa puissance de pensée. Il faut *prendre au mot* le poète : supposer que, devant telles apories ou impasses de la raison spéculative, rigoureusement repérables, un artifice rhétorique calculé puisse, parfois, forcer les voies et ouvrir de surprenants chenaux. L'invention novarinienne me paraît jouer ce rôle de frayage. La pensée de la scène gagne à s'y aventurer. J'indique seulement qu'à ce jeu, la tâche de la pensée-poésie sera bientôt

---

108. *Cf.* ci-dessus, « Raison du drame », pp. 91 *sq.*
109. On noterait alors l'absolue contemporanéité du « Je suis maître de moi comme de l'univers » cornélien (*Cinna*, V, v : 1642), et du « maître et possesseur de la nature » cartésien (D*iscours de la méthode*, VI : 1637).

de *se lasser un peu* du *coup de dé* : de la phase négativiste et soustractive, pour tenter d'explorer sur un mode plus risqué l'ouverture de l'espace qui vient périmer l'action décisionniste. Un prophétisme fait le vide, assurément : dégage et désencombre l'espace de ce qui viendra. Ce qui suppose de déplacer quelques meubles, de désemplir commodes et greniers. Mais il lui faut aussi s'ouvrir à *ce qui arrive :* dont la portée n'est plus seulement rétractile. C'est ce qu'annonce l'invocation novarinienne de la *naissance.* La naissance ne porte pas seulement un moins. Elle libère une surrection, une levée. De quoi ? Je ne sais. Provisoirement, je m'entête à parler du jeu, plutôt que seulement de crise du drame ou de syncope de l'action. Le jeu : ce qui advient, ce qui vient quand la raison décisionniste baisse les bras, cède le terrain (vidé, désencombré) aux enfants (qui rient), et à quelques acteurs.

Octobre 2003-juin 2004

UNE CRISE DE LA CONDITION SPECTATRICE ?

C'est un grand paradoxe, pour moi, que de « prendre » la parole, comme on dit, aujourd'hui, ici[1]. En effet, si j'en crois le document d'information que j'ai pu lire, il est convenu que je parle devant du public, ce qui est normal, devant un autre intervenant qui m'écoute[2], ce qui est habituel, et aussi, ce qui l'est moins, devant un groupe d'artistes de la scène, parmi lesquels il s'en trouve que j'admire, et d'autres que je connais peu mais dont le nom et le renom m'inspirent intérêt et respect. Je crois donc devoir dire, pour commencer, que malgré ce que cette situation de parole pourrait sembler induire, je ne viens pas témoigner d'un quelconque savoir que je détiendrais sur ces questions qui tous nous agitent. Malgré mon établissement et ce qui fait désormais mon métier, je ne sais dans ces matières rien que les artistes présents ignoreraient, et que j'aurais à leur apprendre. J'ai au contraire beaucoup à apprendre d'eux, qui aujourd'hui agissent au corps à corps avec les scènes. Je désire vivement les écouter. Si j'ai accepté néanmoins de présenter ces observations, c'est seulement parce que le retrait, le recul où je me suis mis par rapport au jeu, au théâtre, me permettent

---

1. Intervention au Théâtre National de Bretagne, en novembre 2000, dans le cadre du Festival « Mettre en scène », c'est-à-dire devant un auditoire composé en partie de professionnels du spectacle.
2. Nicolas Bourriaud, qui présentait la seconde intervention de cette séance.

peut-être d'observer, avec un peu plus de calme que je n'en ai eu précédemment. Je viens ici, seulement, témoigner d'un changement de point de vue, du passage de la position d'acteur à celle de regardant, et de ce que ce déplacement donne à penser.

J'ai pu faire un constat, que font beaucoup d'autres, mais que je voudrais énoncer avec netteté. Je vois un contraste, marqué, profond, dans l'état présent des scènes. D'une part une grande vitalité, qui se montre sur les plateaux : croissance du nombre de ceux qui veulent jouer, chanter, danser ; énergie tendue, qui les anime s'ils y parviennent, et les conduit à vouer là une large part de leur temps, de leurs ressources, de leurs mobilisations intimes ; désir ardent, pour beaucoup, d'y jouer leur vie, d'y vivre et d'en vivre. Et donc, générosité, inventivité, ardeur, partage : signes indubitables de santé. Sur les manifestations de cette vigueur multiple, on peut et on doit beaucoup débattre, bien sûr. Chacun d'entre nous, de son point de vue, y trouve du plus ou moins bon. Ce débat, très nécessaire, n'est pas celui où je veux entrer aujourd'hui.

Car devant cette belle vitalité des scènes, je crois observer une *crise de la condition spectatrice*. Non que les théâtres soient vides, ni que les spectateurs, nécessairement, s'y déplaisent. Je veux dire – en parlant d'abord du théâtre, si vous le permettez, que je connais un peu mieux – que la pratique spectatrice n'est pas aujourd'hui un pôle de forces, un champ productif. Les discussions y sont peu ardentes, la pensée s'y étiole, on ne voit pas de flamme, d'enthousiasme partagé à se constituer en regardant – sauf si c'est parce qu'ailleurs, on joue, on pratique, et qu'ainsi l'on vient voir aux spectacles d'autres joueurs, étalonner des différences, éprouver des résultats. Il y a, sans doute, une ardeur particulière de ce public que forment les acteurs en transit. Mais, hors d'eux, les spectateurs *comme tels*, qui viendraient au spectacle pour en jouir et en extraire des pensées sur leur vie, ceux-là ne sont pas à la fête.

J'essaie de comprendre cette opposition. Ceux qui jouent, et d'ailleurs aussi ceux qui dansent, font l'épreuve d'un autre rapport au corps. Entrant dans le champ, ou les champs, du jeu, ils *bougent* autrement, bénéficient d'une sorte d'ouverture des mouvements, et de la voix, et du regard. Jouer, c'est ouvrir, enrichir, et sous certaines conditions libérer des possibilités physiques, (ce qui veut dire : du corps, et ces possibilités sont donc aussi nécessairement mentales, puisque le corps ne s'ouvre qu'en modifiant des chemins de pensée, des tracés de sentiments). C'est d'ailleurs, parfois (pas toujours, pas nécessairement, mais assez souvent) en engageant en eux, physiquement et moralement, des chemins d'altérité, des variations de soi, que s'enclenchent ces conduites que j'appelle ici, provisoirement, d'ouverture des corps et des rapports au corps.

Ceux et celles qui jouent, par ailleurs, modifient par le jeu leurs relations aux autres. Aux autres dans le jeu, bien sûr, expérimentant là des possibilités relationnelles neuves, inédites, ouvertes ou peu fréquentes dans la vie ordinaire. Attention, écoute, contact, et aussi parfois agressions et régressions, mais simulées et donc éprouvées sur des modes acceptés en commun, comme par contrat, coopératifs. Les relations aux autres ne se changent pas seulement dans le jeu : elles changent aussi dans la vie du théâtre, l'expérience des répétitions, le mode relativement communautaire que suppose la préparation collective.

Enfin ceux qui jouent recherchent et éprouvent ces transformations (du corps, du rapport aux autres) dans la mesure où ils et elles *s'exposent*. Les changements sont produits non par une sorte d'ascèse sur soi (comme dans les techniques physiques ou mentales du yoga, de la méditation ou même des arts de combat – bien qu'on puisse user au théâtre de ces savoirs ou de ces savoir-faire) mais par l'exposition à un regard public. C'est-à-dire que le changement ne se tient pas seulement dans la modification du comportement personnel ou relationnel à laquelle on se livre, mais dans la livraison de ce changement à un regard ou à une écoute collective. C'est ce qui doit conduire, d'ailleurs, à nuancer ou préciser l'idée de changement. Marcher en scène, ce n'est pas nécessairement, ou pas d'abord, marcher autrement, c'est marcher sous le regard collectif du public assemblé, ce qui entraîne peut-être une transformation de la marche, ou un autre rapport au corps qui marche, à ce soi qu'on est là, devant d'autres, marchant.

Ce changement d'actes simples de la vie, et par là cette mise en acte modifiée du fait même de vivre (changer le corps, le rapport aux corps et aux voix et aux yeux, aux proches, *parce que* l'on se produit devant le regard et l'écoute des autres, assemblés) est un engagement très rare de la relation entre chose privée et chose publique. C'est la recherche d'une expérience intime, profonde, et dont la condition cependant est une livraison très impudique devant un auditoire collectif, étranger. Il y a là une expérience singulière : parce qu'elle déplace ou transcende les catégories habituelles et leur système. Elle suppose de dépasser la pratique ordinaire de l'apprentissage public (bien parler, maîtriser corps et voix, avoir bonne contenance) et de l'approfondissement intime (partir à la recherche de ses données profondes, cachées, comme on ferait au confessionnal ou sur le divan). Elle est indissociablement l'un et l'autre. Creusement d'intimité par exposition largement ouverte, exhibition *et* introversion.

On comprend sans peine que la pratique du jeu soit très attractive, exerce sur chacun, avant qu'on s'y livre ou dès qu'on s'y adonne, une addiction très intense : il s'agit de libérer son corps, ou au moins d'en faire varier les usages, de changer les modes de relations aux autres, de remettre en cause la séparation du privé et du public. Bref, il n'y a pas à s'étonner de ce que le jeu apparaisse comme lieu d'expérimentation des usages neufs de la liberté.

Face à cela, si je puis dire – mais oui, c'est bien d'une op-position, d'un face-à-face qu'il s'agit – qu'en est-il de l'expérience spectatrice ? C'est d'abord celle d'une immobilisation. S'asseoir au théâtre, c'est se trouver en état d'impossibilité de mouvement, pendant une durée assez longue, puisque l'on ne peut pas se déplacer, faire de bruit, et surtout puisqu'il est totalement interdit de parler avec son entourage, contrairement à ce qui se passe par exemple devant un écran de télévision, dont on a beaucoup dit que c'était un inducteur de passivité, mais du point de vue strictement comportemental c'est faux : devant la vidéo on bouge et on parle. Cette situation de neutralisation motrice est contraire aussi aux pratiques spontanées des publics populaires, des adolescents, des enfants : nous en avons tous souffert. Elle s'oppose, vous le savez, à ce qu'espérait et désirait Brecht d'un nouveau théâtre, qui sur ce point a été totalement démenti par le théâtre réel.

Or la neutralisation motrice, l'immobilisation, l'écrasement paralytique est aujourd'hui rejeté par l'évolution des pratiques et des désirs dans à peu près tous les domaines : consommation, vie politique, loisirs et sports, et même, à certains égards, évolution des structures du travail industriel, avec toutes les équivoques et illusions qui s'y attachent. Notre temps est celui où chacun désire se mouvoir, agir, user de son autonomie physique et comportementale. Je sais bien que de grands pans de la vie sociale semblent s'opposer à ce que je dis là : certains traits du grand spectacle de masse, du cinéma sur très grand écran par exemple. Mais précisément, les analystes l'ont montré, ces pratiques sont liées à des comblements ou des saturations sensorielles qui sont des compensateurs de l'immobilité : intensités sonores ou visuelles, montages ultrarapides. Un certain cinéma-spectacle replace les spectateurs dans la position infantilisée de celui qui est nourri de sensations sans pouvoir bouger. Qu'on le veuille ou non, le théâtre ne sait pas rivaliser avec cela : il y a de bonnes raisons de penser que ce n'est ni son aptitude propre, ni sa vocation – et de se réjouir de cette impuissance. Le théâtre n'a pas à rêver d'une relation où ses spectateurs, fascinés et paralytiques, seraient comblés comme des nourrissons en fin de tétée.

Deuxièmement, l'expérience spectatrice est, le plus souvent, frontalisée. Je ne dis pas qu'elle est exclusivement frontale : je suis persuadé du contraire, et l'ai beaucoup écrit. Mais elle est frontalisée : les valeurs de la frontalité, du face-à-face, dominent le théâtre dans ses usages majoritaires, conditionnent l'architecture des salles, prescrivent la facture des spectacles, sous l'effet de contraintes symboliques (prestige des grands théâtres) et en bonne part économiques (possibilités des tournées). Or, cette frontalisation repose sur une conception du spectaculaire dans lequel, comme l'adjectif l'indique clairement, est privilégiée la présentation d'un objet visuel posé devant le regard. (Il faut pour cela, bien sûr, que ce regardant soit conçu comme immobile, je ne reviens pas là-dessus.) Mais, immobilisé, un spectateur est supposé jouir de ce qui est proposé, devant lui, s'étendant devant sa perception visuelle comme scène, comme jeu d'images, comme spectacle – c'est le mot. Or, cette détermination frontale et visuelle du spectaculaire s'oppose à une tendance très profonde de la pensée et de la pratique contemporaines. C'est un certain rapport au monde, très daté, que celui qui pose le monde devant soi comme image. Merleau-Ponty, à la fin de sa vie, et en particulier dans son si important ouvrage inachevé, *Le Visible et l'invisible*[3], a beaucoup insisté sur ce que suppose comme réduction de l'expérience cette pensée du monde comme tableau visuel. On peut opposer à cela, après lui, toutes les formes de l'expérience comme plongée, englobement, participation tactile, auditive, épreuve d'une sensibilité ouverte, à quoi Merleau-Ponty associe le concept de ce qu'il appelle *la chair*. Mais à mes yeux le nom de Merleau-Ponty ne désigne pas seulement ici une singularité philosophique, une pensée particulière. C'est d'une tendance profonde de l'expérience contemporaine qu'il s'agit, je crois. Les agents, ou comme on dit souvent « les acteurs » du monde d'aujourd'hui veulent assumer la plénitude d'un corps ouvert, éprouvant le réel pas seulement comme spectacle, mais comme environnement, englobement, s'éprouvant soi-même comme singularité physique tournante, renversée, pivotale, et pratiquant le réel non comme tableau à contempler mais comme traçages de chemins possibles à parcourir. Le monde comme bain, comme route, comme vol – pas seulement comme vignette.

On peut en prendre un exemple, ordinaire mais éminent : la relation aux autres. C'est bien du privilège de la frontalité, c'est-à-dire de l'af-frontement contenu dans le face-à-face, que nous nous éloignons aujourd'hui. Les solidarités latérales, les voisinages mouvants et ludiques, et aussi la gloire des dos, construisent bien autant notre univers relationnel que la seul

---

3. M. Merleau-Ponty, *Le Visible et l'invisible*, Gallimard, 1964.

plongée sartrienne dans les abîmes et les vertiges du regard. Or, la relation scène-salle, conçue comme frontale, modélise un certain type de rapport aux autres, assujetti à la dominance de l'échange des regards d'une face à l'autre.

De ce point de vue, il est un troisième et dernier aspect de l'expérience spectatrice que je voudrais évoquer ici. La présence dans une salle de spectacles, selon l'usage théâtral – au sens dominant aujourd'hui – suppose encore une autre détermination. Le silence ne m'est pas seulement imposé dans la relation à ce que je regarde, il l'est aussi, et même surtout, dans le rapport latéral à mon voisinage. Et cette proximité des spectateurs entre eux suppose un anonymat, un interdit relationnel extrêmement complexe. D'une part je ne peux parler à ma voisine que j'ai invitée, ou qui m'a invité, à vivre ensemble ces deux heures. Mais aussi je ne connais pas, ni ne peux espérer connaître, mes voisins de hasard. Je n'ai aucune possibilité, aucun espoir, de produire une ouverture relationnelle avec eux : si ce n'est dans le cas, rarissime, où je nouerai une conversation à l'entracte ou au bar. En principe, la relation théâtrale telle qu'elle est régie aujourd'hui le plus souvent suppose que je voisine avec mes voisins sans aucun échange. Peut-être à peine un rire contagieux – mais comme vous savez c'est assez rare. Aucune solidarité active, aucun partage – au mieux un instant de grâce dans le miracle du silence, mais comme vous savez c'est assez rare aussi. Et puis, le miracle est un mode relationnel très déterminé. C'est à Nicolas Bourriaud que je dois de m'être, à nouveau, étonné de ce fait tout simple, qu'au théâtre on ne construit relationnellement rien avec l'entourage (alors que Bourriaud nous explique que dans les arts plastiques, la tendance est justement à intégrer ce fait que la discussion est interne au temps de l'exposition, de l'observation. Au théâtre elle doit être rejetée, au mieux, à la sortie de la séance.[4]) Je sais bien que certains usages du théâtre ont, d'ores et déjà, mis en cause ou transformé cet état de fait : par exemple certains modes du théâtre de rue. Il faudrait réflé-

---

4. Nicolas Bourriaud, *Esthétique relationnelle*, Les presses du réel 1998, pp. 15-16 et *passim*.

chir aussi à ce qui singularise, à certains égards, pour la question ici posée, quelques tendances présentes des spectacles chorégraphiques et musicaux. Je ne fais ici qu'une observation d'ensemble, schématique et simplifiée, pour contribuer au débat.

Bref, tout se passe comme si la relation théâtrale, telle que nous la vivons généralement, était tributaire d'une détermination du rapport sujet-objet qui concentre sur elle toutes les attaques et tentatives de déplacement de la philosophie contemporaine. Excusez-moi de le répéter : à mes yeux ce n'est pas là une lubie philosophique. Si la vieille frontalité du rapport sujet-objet est tant discutée aujourd'hui en philosophie, c'est parce que l'expérience contemporaine l'appelle et l'exige – et peut-être l'art en témoigne-t-il dans les champs où s'exerce sa plus grande vitalité. Or c'est exactement cette transformation qui s'exprime, à mes yeux, dans la faveur présente du jeu d'acteur, et donc dans la belle vitalité qui anime nos scènes. Les comédiens et joueurs de toute sorte qui ont pris d'assaut les théâtres, mais par l'entrée des artistes, sont très exactement des expérimentateurs contemporains de nouvelles figures de la liberté. Ce sont des acteurs du monde d'aujourd'hui. Les spectateurs en revanche, qui font sagement la queue devant les guichets de location, sont à mon avis dans une situation plus critique.

Il me semble que les choix esthétiques et politiques qui régissent les théâtres contemporains ne pourront pas longtemps éviter de se déterminer par rapport à ce profond divorce.

Novembre 2000

DU PARADOXE AU PROBLÈME

Supposons qu'un philosophe s'interroge attentivement sur l'activité des comédiens (somme toute, le cas est plutôt rare)[1]. Il est probable qu'on le verra distinguer deux objets de pensée, deux plans d'analyse. En premier, le rôle : la philosophie s'intéresse aux rôles (souvent aux mêmes : Œdipe ou Antigone, Hamlet ou Phèdre) bien avant de se soucier des acteurs. Selon les cadres de pensée, le rôle est doté par elle de statuts différents, de modes d'existence variables, mais il reste le foyer de son attention. Et d'autre part, derrière ce premier objet ou sous lui, l'individu, réel, qui joue. C'est de celui-ci que la philosophie tarde (ou rechigne)[2] à s'occuper. Et c'est bien sûr son émergence dans le discours philosophique qui signale et constitue l'apparition d'une question philosophique du comédien. Dès qu'il s'y montre (c'est-à-dire : dès Diderot), la question devient celle de la surimpression de ces deux figures : personnage et acteur, le rôle et la personne.

---

1. Jusqu'à Diderot, la « question des acteurs » semble démunie de problématisation, ou de thématisation, philosophique. Après lui, la donne change – on trouve chez divers philosophes (presque chez tous) des remarques éparses, plus ou moins développées. Mais bien peu livrent sur l'acteur une analyse d'ensemble, construite.

2. Même récents, de nombreux philosophes qui traitent volontiers du théâtre, de la tragédie, et donc des rôles (par exemple : Heidegger), s'expriment plus parcimonieusement à propos des acteurs.

Hegel, par exemple, consacre un petit chapitre à « l'art du comédien »[3]. En un sens (on ne s'en étonnera pas) il y fait la théorie de ce retard. Car pour lui, le problème est spécifiquement moderne. Chez les Anciens l'individualisation du rôle (sa dotation en caractères individuels, le processus de sa singularisation comme individualité) n'était pas très poussée : « les caractères agissants [...] menaient le combat dramatique d'un *pathos universel fixe* et n'approfondissaient pas plus la substance de ce pathos jusqu'à en faire *l'intime intensité de l'âme moderne* qu'ils ne lui donnaient *l'extension et la particularité des caractères dramatiques actuels*[4] ». La situation change avec les temps : « Il en va autrement, en revanche, dans le théâtre moderne.[5] » Cette modification concerne simultanément le rôle et le comédien. D'une part « les passions [...] doivent se faire connaître comme étant subjectivement vivantes et intérieures, et [...] les caractères reçoivent le plus souvent une particularité beaucoup plus étendue [...]. Les personnages de Shakespeare, notamment, sont des êtres achevés pour soi, clos, entiers.[6] » Et d'autre part « le comédien, en revanche, entre dans l'œuvre d'art comme individu tout entier, avec sa silhouette, sa physionomie, sa voix, etc.[7] » Le processus de singularisation affecte donc, ensemble, le personnage et l'acteur : l'un et l'autre sont pris dans le mouvement d'individualisation qui marque les temps modernes, et le théâtre se

---

3. « Die Schauspielerkunst ». *Cours d'esthétique, III, op. cit.*, pp. 482-486. Les références ci-dessous renvoient à cette édition. Ce chapitre a lui-même fait l'objet de bien moins de commentaires philosophiques que, par exemple, les célèbres pages de la *Phénoménologie* consacrées à Antigone.

4. *Op. cit.*, p. 483. Ou encore : « quand bien même on devait représenter dans la comédie les portraits de personnes vivantes, Socrate, Nicias, Cléon, par exemple, d'une part les masques reproduisaient à merveille les traits individuels de ces personnages, et d'autre part *il y avait moins besoin d'une individualisation* plus poussée, dès lors qu'Aristophane *n'utilisait ce genre de caractères que pour représenter les tendances générales de son temps*. » *Ibid.*, pp. 484-485. Je souligne.

5. *Ibid.*, p. 485.

6. *Id.*

7. *Ibid.*, p. 484. Ou encore : « le comédien, en tant qu'homme vivant, a, *comme n'importe quel individu*, pour tout ce qui est des organes, de la silhouette, de l'expression physionomique, des caractéristiques innées », etc. *ibid,*, p. 486. Je souligne.

trouve ainsi aux prises avec deux individus : l'individu-rôle, qui est une sorte de personne complète, profondément singularisée, et l'individu-comédien, qui se montre désormais avec l'ensemble de ses caractères, physiques et moraux, toute sa dotation personnelle, par définition et par essence distincte de celle du rôle, comme diffèrent entre elles toutes les individualités. Ce sont là deux individus, co-présents comme deux personnes effectives quelconques, mais qui étrangement doivent se superposer, en un certain sens se confondre, pour le temps d'une représentation. Hegel pose alors le problème de la modalité de cette jonction. Sur ce point il reste à vrai dire très elliptique : le comédien doit « se confondre entièrement avec le caractère qu'il représente » (*ganz und gar zusammen zugehen*)[8], ou « abolir » (*aufzuheben*) ses caractères pour « se mettre en harmonie avec les figures » (*in Einklang zu setzen*)[9], ou encore « adapter entièrement sa propre individualité » (*ganz angemessen machen*)[10]. À moins que ces nécessités ne « requièrent une personnalité propre adaptée au rôle déterminé » (*angemessen Eigentumlichkeit*)[11]. Le besoin est donc affirmé d'une concordance entre comédien et rôle, sans qu'on puisse décider à la lecture si elle sera le fruit d'une opération, d'un travail (abolir, adapter, se mettre en harmonie) ou résulte d'une convenance préalable, d'une sorte « d'emploi » au sens français du mot (« personnalité adaptée au rôle »).

Diderot, on le sait, avait sur cette question conclu en des termes tout à fait opposés[12]. Le *Paradoxe sur le comédien* n'insiste pas tant sur la définition des deux tenants du problème que, précisément, sur la nature de leur lien : relation dont Diderot, à la différence de Hegel, veut qu'elle soit, non de convenance ou d'adaptation, mais de profonde disconvenance au contraire. Il s'appuie, comme le fera Simmel, sur le fait

---

8. *Ibid.*, p. 484. Pour le texte original, G.W.F. Hegel, *Ästhetik III, Die Poesie*, Reclam 1984, p. 298.

9. *Ibid.* p. 486 (texte or., *op. cit.* p. 300).

10. *Id.*

11. *Ibid.* p. 485 (texte or., *op. cit.* p. 299).

12. À l'époque des Leçons d'esthétique, Hegel ne pouvait connaître le texte de Diderot, publié pour la première fois en 1830.

qu'un rôle peut être pris en charge, et fort bien, par des acteurs très différents[13]. Mais surtout, le *Paradoxe* se situe avec insistance sur un plan moins caractérologique qu'essentiel, ontologique même, ne cessant d'affirmer la coupure profonde entre l'être et le jeu. « Il n'est pas le personnage, il le joue et le joue si bien que vous le prenez pour tel : l'illusion n'est que pour vous ; il sait bien, lui, qu'il ne l'est pas[14] ». Le nom de cette distension, de cette foncière discordance du jeu avec l'être est l'imitation[15], dont la fonction ainsi pensée ruine toute convenance entre l'acteur et le rôle, tout espoir d'adaptation ou d'harmonie pré-établie : elle désaccorde les caractères[16]. Le *Paradoxe* s'acharne à consommer la rupture entre les composants du caractère du rôle et de celui de l'acteur, entre ces éléments de caractérisation de part et d'autre que sont les sentiments ou les passions. Le comédien, on le sait, ne sent pas ce qu'il joue, mais le joue – l'imite, le figure, le simule[17]. Il n'est donc plus question de faire coïncider les deux individualités, ni leurs dispositions. Tout au contraire, la scène est le lieu de cette superposition des hétérogènes, de cet assemblage disparate : c'est la forte théorie de la « double scène » (double jeu de la « scène haute » que se jouent les personnages dans le drame, et de la « scène basse », que se font simultanément les acteurs sur les planches)[18]. La rupture ainsi atten-

13. « Et comment un rôle serait-il joué de la même manière par deux acteurs différents ? » Diderot, *Paradoxe sur le comédien*, ed. de Jean-Marie Goulemot, Le Livre de Poche 2001, p. 68. Je renvoie ci-dessous à cette édition.

14. *Op. cit.*, p. 80. Et aussi : « S'il est lui quand il joue, comment cessera-t-il d'être lui ? » (p. 72) ; « Etes-vous Cinna ? Avez-vous jamais été Cléopâtre, Mérope, Agrippine ? » (p. 83) ; « peut-être est-ce parce qu'il n'est rien qu'il est tout par excellence, sa forme particulière ne contrariant jamais les formes étrangères qu'il doit prendre » (p. 109). On notera l'étrange écho que fait cette dernière formule avec la célèbre assertion révolutionnaire concernant le Tiers-État (*cf.* Siéyès, *Qu'est-ce que le Tiers-État ?*, PUF « Quadrige » 1989, pp. 27 *sq.*)

15. « On est soi de nature ; on est un autre d'imitation », *op. cit.*, p. 127. *Cf.* Philippe Lacoue-Labarthe, « Le paradoxe et la mimèsis », in *L'Imitation des modernes*, Galilée 1986, pp. 15 *sq.*

16. « Un moyen sûr de jouer petitement, mesquinement, c'est d'avoir à jouer son propre caractère », *op. cit.*, p. 105.

17. Les arguments sont connus. *Cf.*, par exemple, *op. cit.* pp. 78, 101-102, 104-105, etc.

18. *Op. cit.* p. 95.

tivement élaborée par Diderot entraîne la différences des sin-
gularisations, et donc des identifications respectives de l'acteur
et du rôle. Au plus haut degré de son travail, lorsqu'« elle s'est
élevée à la hauteur de son fantôme », la Clairon, l'actrice, peut
observer, contempler sa propre dissociation : « dans ce
moment elle est double : la petite Clairon et la grande Agrippine »[19]. Cette différence est de corps. Le corps étant l'élément
même de la singularité, son signe et son lieu, le corps de
l'acteur (la petite Clairon) n'est pas le corps du rôle (la grande
Agrippine) : « La première fois que je vis Mlle Clairon chez
elle, je m'écriai tout naturellement : "Ah ! mademoiselle, je
vous croyais de toute la tête plus grande."[20] »

Troisième exemple. Parmi les philosophes récents, Sartre
est l'un de ceux dont la réflexion s'engage le plus décidément
dans la question de l'acteur[21]. Il propose une autre articulation
de la relation entre la personne et le rôle, qui prend appui sur
la théorie sartrienne de l'image[22]. « L'acte imageant, pris dans
sa généralité, est celui d'une conscience qui vise un objet
absent ou inexistant à travers une certaine réalité que j'ai
nommée ailleurs *analogon* et qui fonctionne non comme un
signe mais comme un symbole, c'est-à-dire comme la maté-
rialisation de l'objet visé. Matérialiser ne signifie pas ici *réa-
liser* mais au contraire *irréaliser le matériau par la fonction
qu'on lui assigne*[23]. » Ce matériau, doté de diverses propriétés
concrètes selon les types d'images, et en particulier selon les
arts, prend un caractère singulier dans le cas de l'image-acteur.
En effet, ce n'est plus là un morceau de marbre que la

---

19. *Ibid.* pp. 74-75.
20. *Ibid.* p. 85. Diderot, subtilement, indique que la bonne connaissance de
cette distinction donne « le discernement juste du masque de cette passion et
de sa personne » (p. 126). Subtilement, parce qu'opposant ici le masque (c'est-
à-dire le rôle) à la réalité du comédien, il choisit pour désigner celui-ci le nom
de « personne », dont l'étymologie notoire procède de *persona*, c'est-à-dire du
nom latin *du masque*, précisément.
21. Cette réflexion, qui anime la pièce *Kean*, est développée dans *L'Idiot
de la famille*. Les pages concernant l'acteur peuvent être retrouvées dans *Un
théâtre de situations, op. cit.*, pp. 212-235.
22. *Cf. L'Imaginaire* (1940), Folio-Gallimard 1995, pp. 31 *sq.*
23. *Un théâtre de situations, op. cit.* p. 215. Je souligne le dernier membre
de phrase.

conscience imageante irréalise par sa visée, mais bien la personne d'un être humain, le comédien. Comme de plus la conscience imageante n'est pas, dans ce cas, extérieure au matériau comme la conscience de l'artiste l'est au marbre, puisque c'est celle du comédien lui-même, artiste de cette œuvre qu'est la création scénique d'un rôle[24], on se trouve confronté ici au cas d'une conscience (celle de l'acteur) conduite à produire l'irréalisation de sa propre personne, corps et âme, le devenir-irréel de sa propre existence subjective : « Il se mobilise et s'engage tout entier pour que sa personne réelle devienne l'*analogon* d'un imaginaire qui se nomme Titus, Harpagon ou Ruy Blas. Bref, chaque soir, il se déréalise [...] »[25]. « Irréalisation » : qu'est-ce à dire ici, au juste ? On trouve dans le texte de Sartre deux approches assez distinctes. Par moments, il semble penser l'irréalisation comme une perte volontaire d'existence, un *sacrifice d'être*. Il est question de « subordonner l'être au non-être », de « sacrifier l'existence concrète à l'être abstrait de l'apparence », ou encore de « se laisser ronger », « décrocher de l'être », de « déperdition d'être »[26]. On pourrait y voir le choix fait par le comédien d'une certaine néantisation (mais le mot n'y est pas), produite sur soi par cet être réel, effectif qu'est l'acteur, et même instituée par le fait collectif qu'est le théâtre[27]. Ailleurs se dessine une autre hypothèse, décalée. « Diderot a raison : l'acteur n'éprouve pas réellement les sentiments de son personnage ; mais ce serait un tort de supposer qu'il les exprime de sang froid : la vérité, c'est qu'il les éprouve *irréellement*. » Un peu plus loin, Sartre précise : « Ressentir dans l'irréel, en effet, ce n'est pas *ne point ressentir* mais *se tromper à dessein sur le sens de ce qui est ressenti* »[28]. Voilà une approche qui résonne différemment : l'irréalisation n'est pas pensée comme un basculement dans le non-être, mais

---

24. C'est bien là une des singularités de ces pages sur l'acteur : c'est de considérer le fait de théâtre, non pas du point de vue de celui qui le regarde, ou du poète qui en ouvrage le texte, mais d'un point de vue interne à l'action produite en scène par les comédiens.

25. *Op. cit.*, p. 221. *Cf.* aussi pp. 216, 218-219, etc.

26. *Ibid.*, respectivement pp. 219, 234, 215, 216, 225.

27. *Cf.* l'analyse conduite pp. 220-221.

28. *Op. cit.*, pp. 216-217. Je souligne le dernier membre de phrase.

comme une *erreur volontaire sur le sens*. C'est le caractère volontaire de cette méprise qui nous intéressera : pour certaines hypothèses, qu'on s'attache à formuler ailleurs, sur le jeu comme expérimentation, comme mise à l'épreuve de variations possibles du sens de l'exister[29].

Toutes ces analyses, malgré de fortes différences, s'inscrivent dans un dispositif commun[30] : toujours on y trouve, face à face ou côte à côte, un rôle défini comme concrétion poétique (pour Hegel), modèle idéal (pour Diderot), ou image (pour Sartre), et un acteur vu comme individualité déterminée, personne réelle dotée d'un certain nombre de caractéristiques physiques et psychiques, existant porteur d'une consistance, muni d'une position de soi, d'une identification au moins possible à lui-même. La relation de l'un à l'autre associe une mêmeté de l'acteur à une altérité du rôle, et le travail du comédien – quand il en est question, ce qui reste rare – est pensé comme processus le conduisant à s'engager dans cette altérité, ou à l'engager en lui. Qu'il s'agisse d'« abolir ses caractéristiques propres »[31], de « s'investir en pensée sans rien rajouter de sa propre personne »[32], de « s'élever à la hauteur de son fantôme »[33], ou de constater que le modèle « modifie jusqu'a la démarche, jusqu'au maintien »[34] de l'acteur, que le personnage « l'irréalise en lui dictant ses attitudes »[35], c'est toujours une sorte de devenir-autre, le mouvement d'une altération – d'une poussée hors de soi, d'une aliénation – que scrute l'analyse.

Or, il n'est pas certain que, malgré l'évidence apparente dont il jouit à nos yeux, ce dispositif – un acteur posé comme identité, aux prises avec l'altérité d'un rôle – corresponde aux changements présents de ce qu'on appelle, de façon assez

---

29. Sartre pousse l'analyse beaucoup plus loin dans les pages consacrées à l'acteur comique – pages étonnantes, sombres, quelque peu vertigineuses. *Cf. op. cit.*, pp. 227 *sq.*

30. Ébranlé néanmoins dans les descriptions de Sartre concernant l'acteur comique que j'évoque ci-dessus.

31. Hegel, *op. cit.* p. 486.

32. *Ibid.*, p. 484.

33. Diderot, *op. cit.* p. 74.

34. *Ibid.*, p. 85.

35. Sartre, *op. cit.* p. 218.

énigmatique au fond, *le jeu*. Disons-le ici sur un mode succinct, puisque ce n'est pas l'objet de cette présentation : il n'est pas assuré que le comédien aujourd'hui cherche exactement à se conformer à une altérité imaginaire, à y entrer, à s'y confondre – pas plus qu'il n'est établi, en vérité, que les spectateurs contemporains ne se rendent au théâtre pour assister à ce processus d'irréalisation spectaculaire, en y trouvant le bénéfice de s'irréaliser à leur tour – comme le pensait Sartre – par cette observation[36]. Ce à quoi se livre l'acteur dans le jeu n'est peut-être plus cette sorte de *sacrifice pour l'image*, faisant spectacle, et dont les spectateurs seraient les témoins médusés.

On découvre donc avec un vif intérêt l'existence d'*un autre modèle philosophique*, construit de façon à peu près solitaire par Georg Simmel, dans trois textes assez peu connus – au moins de ceux qui s'intéressent à ces questions[37]. Car Simmel souhaite explicitement s'éloigner de « l'énigme du comédien telle qu'on se l'imagine ordinairement[38] ». Énigme (*Rätsel*) ainsi formulée : « comment une personnalité déterminée, singulière, peut-elle tout à coup en devenir une autre, toute différente, ou beaucoup d'autres[39] » ? C'est, dans l'acception ordinaire, la clé du jeu, son mystère – son paradoxe. « S'il est lui quand il joue, comment cessera-t-il d'être lui ?[40] » Simmel veut se déplacer de l'énigme au problème[41], du mystère à la philosophie. Et, du problème visé, il produit rigoureusement l'énoncé, ou la forme.

---

36. Ces hypothèses ont été suggérées dans *Le Théâtre est-il nécessaire ?*, Circé 1997, pp. 143 *sq.*

37. G. Simmel, *La Philosophie du comédien*, trad. S. Muller, Circé, 2002 (dont le présent texte a constitué la préface). L'existence de ces écrits m'a été signalée par Adriano Fabris, grâce à qui j'ai formé le projet de l'édition française. Deux d'entre eux avaient été publiés en italien sous le titre *Filosofia dell'attore* (Edizioni ETS, coll. *Tracce*, Pisa, 1998, traduits et présentés par Flavia Monceri).

38. *Op. cit.*, pp. 37 et 82.

39. *Id.*

40. Diderot, *op. cit.*, p. 72.

41. « L'énigme du comédien telle qu'on se l'imagine ordinairement [...] devient un problème plus profond (*wird zu dem tieferen Problem*) », *op. cit.*, pp. 37 et 82.

L'analyse prend sa source dans un constat sur le jeu. Rien de plus trompeur, pense Simmel, que l'opinion selon laquelle les normes du jeu, son idéal, seraient contenus dans le texte, définis en lui – opinion qui veut le comédien ait à s'en approcher, à s'y adapter ou s'y conformer au mieux. Cette vue est fausse, car elle devrait induire qu'il n'y ait « pour chaque rôle qu'une seule interprétation "juste". Mais la preuve du contraire, c'est que trois grands comédiens joueront le rôle selon trois conceptions complètement différentes, toutes également valables, et pas plus "justes" les unes que les autres[42]. » Notre auteur prend acte du fait, intrinsèquement moderne, de la différence des interprétations, et de ce que cette différence n'est pas ordonnée à une vérité objective du rôle. La vérité du jeu dans le texte est une norme littéraire, non théâtrale, affirme-t-il[43] – et cette opposition même, maniée avec fermeté, est notable en ce début du XXᵉ s où il écrit, avant que ne s'établissent dans toute leur lisibilité quelques postulations devenues depuis familières : l'autonomie de la scène, la différence spécifique de *la théâtralité*, la dignité esthétique de la mise en scène, du jeu, etc. Simmel est à vrai dire un des très rares philosophes à avoir pensé *à partir de* ces acquis et non d'une idée plus désuète du théâtre, d'où son alerte formule : « le comédien n'est pas la marionnette du rôle »[44]. Au contraire, la supposition de la vérité du jeu dans la pièce est philosophiquement caractérisée comme celle d'une « norme au-delà de toute singularité » (*übersingulären Norm*)[45]. C'est tout un régime de singularités qu'ignore, ou dénie, l'idée littéraire du jeu : singularité de l'acteur, et aussi du texte, dans leur singulier croisement, nous allons le voir.

Mais, pour n'être pas le reflet ou la traduction plus ou moins précise d'une objectivité du rôle, le jeu n'en est pas plus l'expression de la seule personnalité du comédien. Car la difficulté serait alors inversée : ne livrant que la personne de

---

42. *Op. cit.*, p. 61.
43. *Id.*
44. *Id.* Pour bien frappée qu'elle soit, la formule n'en fait pas moins appel, elle, à une idée de la marionnette qu'on peut aujourd'hui trouver un peu vétuste.
45. *Id.*

l'acteur, le jeu interdirait au comédien de jouer autre chose qu'un même rôle, indéfiniment, toujours assujetti à son existence, son mode d'être. Simmel récuse avec insistance ce second déni du théâtre. « Un tel rôle peut être adéquat à notre individualité, écrit-il, mais c'est encore autre chose que cette individualité[46] ». Donc, il doit exister une autre manière de penser le jeu – qui approche mieux l'art du comédien, l'activité du comédien en tant qu'art. Elle consistera, pour Simmel, à définir le jeu comme relation spécifique entre l'œuvre et ce comédien-ci. Non par une sorte de moyen terme conciliant entre deux conceptions erronées. Car la relation est à penser comme idéalité, elle recèle sa normativité propre. Elle n'est pas un constat intermédiaire, rapprochement de deux extrêmes, approximation double de deux états de fait (le rôle et la personne) : c'est *la loi* de la relation où s'engage la singularité *comme telle*. « Il n'y a pas simplement d'un côté la tâche objective, fixée par l'auteur, et de l'autre la subjectivité concrète du comédien, qu'il suffirait de couler l'une dans l'autre ; mais au-dessus de ces deux aspects, il y en a un troisième : *ce que tel rôle exige de tel comédien, et peut-être de lui seul, la loi particulière que ce rôle impose à cette personnalité de comédien.*[47] »

Pour mesurer la profondeur et l'originalité de cette proposition, il faudrait rendre explicites ses corrélats philosophiques. Car elle s'inscrit dans une stratégie plus générale de Simmel, attestée dans les textes publiés ici, mais visible dans tout le mouvement de sa philosophie, telle qu'elle se transforme et s'approfondit avec les années : comme recherche d'une *onto-*

---

46. *Op. cit.*, p. 62. Ou encore : « Le comédien, dans sa réalité, n'est pas le personnage dramatique artistique » (p. 47) ; « il laisse derrière lui sa « réalité » qui est tout à fait autre, tous les intérêts, les entrelacs de l'autre part de sa vie » (p. 66) ; « l'image d'une personnalité et d'un destin, qui ne sont pas la personnalité et le destin de l'individu qui les montre » (p. 67) ; et surtout : « L'exigence idéale devient donc la suivante : comment il faut jouer tel rôle, en ne le tirant ni de la pièce elle-même – car alors il ne pourrait être joué dans tant et tant de conceptions complètement différentes de façon également satisfaisante – *ni seulement du tempérament du comédien ; car cela laisserait le champ libre à toute espèce de hasard, de subjectivité, de violence fait à la pièce.* » (p. 72. Je souligne.)
47. *Op. cit.*, p. 33. Je souligne. *Cf.* aussi pp. 39, 69, 72.

logie de la relation, d'une métaphysique relationniste (ou relativiste, en un sens peu convenu), selon laquelle une relation entre deux singularités, sous certaines conditions, peut exprimer leur être le plus intime, le plus profond. La relation n'est pas un lien ultérieur et subalterne, advenant à deux choses pensables d'abord dans leur détermination fixe et indépendante. *La relation touche l'essence*, voilà ce qui s'engage ici. L'essence de deux singularités peut être donnée à penser selon et dans la relation qui les unit ou qu'elles établissent entre elles. Lorsque Simmel écrit, par exemple : « Il y a une relation idéale [*ideelle Relation*] entre l'œuvre concrète et le moi concret »[48], c'est le mot « idéal » (ou idéel) qui importe. Il ne s'agit pas seulement d'une corrélation de fait, empirique : mais d'une idée, d'une position d'être. La relation ici (l'idée) exprime absolument, de façon en quelque sorte intégrale, ce dont à première vue elle ne devrait saisir qu'un aspect, approché selon un point de vue déterminé : car on pourrait s'attendre à ce que le comédien ne voie le rôle que sous un angle, que le rôle n'éclaire qu'une face du comédien, comme deux choses ne s'apparaissent que selon un axe, qui induit l'aspect partiel et limité dans lequel elles se manifestent l'une à l'autre. Logique de l'apparaître et de la partialité. Or il en va différemment : c'est l'intégralité, l'intégrité du rôle et de l'acteur qui sont en jeu. Tel est le paradoxe que les arts manifestent de façon éminente, et sur lequel la philosophie doit s'interroger pour ne pas s'en tenir à son premier mystère. « Il reste quelque chose de profondément énigmatique : une entité, qui en soi constitue une unité, qui sous le regard de Dieu pour ainsi dire est sans ambiguïté, que ce soit l'homme ou l'œuvre d'art poétique, peut devenir à l'intérieur de la recréation artistique une pluralité d'images, *dont chacune semble lui être objectivement adéquate et exprimer la totalité de son essence.*[49] » Il va de soi, dit Simmel, que l'acte du peintre ou du comédien vaut par une certaine relation entre l'artiste (comme individualité) et ses objets. « Mais il reste un dernier mystère : il

---

48. *Op. cit.*, p. 72.
49. *Op. cit.*, p. 75. Je souligne.

semble que ces *relations*, qui changent selon ces individualités, expriment le sens absolu des objets dans toute sa pureté et toute son évidence, et les révèlent dans leur fondement. »[50] Il faut une entrevue onto-logique de la relation – où l'être outre et force l'immédiateté logique – pour apprivoiser, désensorceler cet enracinement métaphysique de l'art. « Cette contradiction, qui n'a peut-être pas de solution logique, montre que *la création artistique s'enracine dans une profondeur métaphysique de l'être où ses relations aux individus et aux objets ne sont plus incompatibles avec l'unité des donnés achevés eux-mêmes.*[51] » Ici se tient, qui émeut la pensée, un « paradoxe métaphysique »[52].

C'est alors, seulement, que se manifeste la spécificité, la valence très forte que Simmel attribue, parmi les arts, à celui de l'acteur. Cette distinction – presque une primauté – fait l'objet de formulations remarquables. Non seulement cet art est « une énigme dans l'ordre de la philosophie de l'art », au sein de laquelle il jouit d'« un statut caractéristique », mais, du problème général de l'art, il vaut comme « l'exemple le plus radical », et à ce titre « l'autonomie artistique de l'art dramatique soulève *le problème le plus difficile dans le domaine de la philosophie de l'art* »[53]. À quoi tient ce rang très particulier ? L'art en général, avons-nous dit, réunit en une synthèse paradoxale un régime de nécessité propre (son ordre, ses règles et contraintes, la loi de ses formes) et la singularité d'un artiste (« la singularité unique de son être-là », *Nur-einmal-Dasein*[54]), c'est-à-dire deux réalités que tout en principe devrait opposer : une législation, par principe générale, et une unicité absolue. L'art du comédien aggrave des deux côtés la tension, fondatrice de l'énigme – et de l'art lui-même. Car, d'une part, il est celui où la singularité de l'artiste, sa personnalité propre, est impliquée de la façon la plus riche, la plus complète, puisqu'elle engage tout son corps,

---

50. *Id.*
51. *Id.* Je souligne.
52. *Id.*
53. *Op. cit.*, respectivement pp. 31, 38, 38 et 80, 60. Je souligne.
54. *Op. cit.*, p. 80.

son âme, sa façon d'être, la donnée immédiate de son existence comme telle[55]. Mais par ailleurs, et comme symétriquement, il est *le plus contraint par le contenu*, puisque l'acteur doit obéir, mot à mot, à la législation que constitue pour lui le texte, l'œuvre dramatique dans laquelle il entre, et où il se retrouve lié par un ordre de nécessité très ferme[56]. De sorte que l'art de l'acteur se trouve être celui qui est doté *à la fois du plus de subjectivité et du plus d'objectivité*[57]. Ce qui fait désormais le problème : problème philosophique posé par tout art, mais dont celui de l'acteur fournit l'énoncé le plus dru. « L'énigme du comédien telle qu'on se l'imagine ordinairement [...] devient un problème plus profond : un acte, *porté par une individualité physique et psychique, jaillissant de son génie créateur* et formé par celui-ci, est *en même temps donné, mot pour mot, dans l'ensemble et en détail.*[58] » La formule atteint à une profondeur marquante en effet : non seulement par le paralogisme qu'elle soutient, mais parce qu'elle exprime avec densité cette expérience qu'a faite, si peu qu'il ait jamais joué, quiconque a mis un pied (ou avancé un bras) dans l'agir de l'acteur : expérience de cette joie étrange, comme enivrante, où s'éprouve par moments la pleine liberté de l'existence, le bonheur de la liberté, dans la traversée cependant d'un *donné* prévu, répété, prescrit en chacun de ses gestes[59]. Non la jouissance de plier sous la contrainte, certes pas : mais la joie d'une troublante liberté, que prescrit et fonde la loi minutieuse du poème.

Une telle façon de poser le « problème de l'acteur » est riche de quelques ressources, pour une pensée d'aujourd'hui. Donnons-en un exemple. Un art requiert et produit une élabo-

55. « l'œuvre du comédien reste enfermée dans les limites spatio-temporelles de son existence, cela prouve bien que dans le jeu du comédien la personne a plus de poids que dans l'acte du peintre », *op. cit.*, p. 38 ; « Le comédien joue (...) uniquement à partir de lui-même, (...) c'est *lui-même* qu'il présente, l'action et la passion que l'on voit en lui sont celles de sa personne, qui se déploie ainsi en apparence comme dans la réalité de la vie », pp. 42 et 81.

56. *Op. cit.*, p. 37.

57. *Id.*

58. *Op. cit.*, pp. 37 et 82.

59. *Cf.* D. G., *Relation (Entre théâtre et philosophie)*, éd. Les Cahiers de l'Égaré, Le Revest-Les-Eaux, 1997, pp. 34-37.

ration formelle : travail, transformation, changement de formes. L'activité artistique ne peut se borner à la position d'une relation, entraînant le seul constat d'un lien, si tendu soit-il. Il faut que cette relation soit ouvrée, modifiée, produite dans son devenir-esthétique. Or une relation joint deux pôles. On peut donc supposer que le travail artistique agit sur chacun d'eux : les modifie, les change. Que la relation de jeu touche le rôle, c'est acquis : la singularité de l'acteur déplace tout personnage, lui donne vie et devenir, richesse, tonalité. Mais il faut entendre aussi que la relation travaille la personne. Que le jeu change et ouvre (comme on dit : ouvrer) l'être singulier de l'acteur. Le modifie, l'étend, l'éprouve. Jouer, c'est cela aussi. *Aussi* : peut-être même d'abord – désormais. Le jeu est un art (une élaboration) de la relation au rôle. Mais, comme art – grâce au texte, à son agir pratique, à sa poétique concrète – il travaille, change, affecte la relation à soi. C'est ce que désormais on y cherche : cette affection. Une des tâches de la pensée pourrait être d'examiner avec soin les opérateurs modifiés (nouvelles donnes, nouvelles règles) de cette mise en jeu : creusement intérieur *et* dialogue, intimité *et* publicité.

Que le jeu soit aujourd'hui ce mode singulier, opérant, du *rapport à soi ;* que l'importance et la portée présente du jeu tiennent à cette activation, à l'interrogation active et pratique de ce rapport ; que le jeu comme *expérience (dialogique, publique) sur soi* offre un stimulant objet pour une philosophie d'aujourd'hui, c'est ce que les beaux textes de Simmel nous aident à penser. On ne peut que se réjouir que, de cela et partiellement au moins, grâce leur soit aujourd'hui rendue.

Été 2001

SUR LE SPECTACLE COMME
FORME DU MAL[1]

1. Partons d'une impression de lecture : sous la plume
d'Augustin, les références au spectacle surviennent souvent à
proximité immédiate de développements concernant le mal,
envisagé dans ses déterminations métaphysiques. Il ne s'agit
pas ici d'une liaison déductive, faisant du spectacle une des
formes particulières du mal en général. Cette déduction, que
l'on peut supposer, reste souvent latente, rarement explicitée
entre les passages concernés. Je me réfère plutôt à une sorte
de régularité dans l'émergence des thèmes, un agencement, un
fait d'écriture, une conjoncture de distribution. Le livre II des
Confessions, dans toute sa deuxième partie (chapitres IV à IX)
est consacré à l'affaire du vol des poires, à son récit et à son
analyse, qui engagent la nature essentielle du péché, du forfait,
de la faute. Suit immédiatement le début du livre III : l'évocation des honteuses amours[2]. Après quoi s'amorce immédiatement, sans transition nette, la relation du « rapt » ou du
« ravissement » par les spectacles du théâtre[3]. Plus loin, alors
qu'on vient de découvrir le moment où Alypius, qui avait su
se garder de la passion des spectacles de gladiateurs, est brus-

1. Conférence prononcée dans le cadre d'un séminaire intitulé : « Formes
du mal ». *Cf.* ci-dessous, p. 219.
2. *Flagitiosorum amorum*, III, I, 1.
3. « *Rapiebant me spectacula theatrica* », III, II, 2.

quement happé par leur fascination (je reviendrai sur cet étonnant passage[4]), le texte enchaîne sans lien raisonné avec son
arrestation comme voleur – arrestation indue, mais qui ouvre
elle aussi à une méditation sur le mal[5]. On pourrait donner
d'autres exemples[6].

2. Peut-on interpréter cette affinité, cette attraction thématique ? Je fais ici une hypothèse. On se souvient de la définition
du mal, de la compréhension du mal, peu à peu acquise au
cours du récit qui occupe la première partie des *Confessions*
(livres I à IX). Cette définition (du mal) fait l'objet de la quête
que raconte le livre : et le chemin de cette quête elle-même se
confond avec le processus de la conversion, au point que le
retournement auquel parvient Augustin se distingue très peu
de l'accès à cette définition elle-même. « Le mal n'est aucune
substance »[7], « le mal, dont je cherchais l'origine [*quod quae-
rebam unde esset*], n'est pas une substance, parce que s'il était
une substance, il serait bon.[8] » Tel est l'acquis principal du
retournement spirituel que raconte le livre : le mal n'est pas
un être, mais une privation d'être – parce qu'il ne peut être
compris à partir d'aucune détermination autonome, mais seulement en tant que privation de bien[9], et parce qu'il y a une
équivalence entre l'être et le bien, entre être et être bon : « tous
les êtres sont bons, par exception, puisque le créateur de tous,
sans exception, est souverainement bon ». « Tout être est donc
un bien ». « Tout être en tant que tel étant bon », etc.[10] Le mal
n'est qu'une privation de bien, un manque de bien, et donc de

---

4. VI, VIII, 13.
5. VI, IX, 14. La liaison se fait ainsi : « Malgré tout, désormais, cette expérience restait en dépôt dans ma mémoire, pour servir de remède dans l'avenir.
Et de même celle que voici : » (trad. Trehorel et Bouissou, Bibliothèque Augustinienne, DDB 1962, t. 13, vol.1, p. 549).
6. Par exemple *Cité de Dieu*, I, IV, 31.
7. *Op. cit.*, IV, XV, 24, p. 451
8. *Op. cit.*, VII, XII, 18, p. 621.
9. « Mais ce qu'on appelle mal, qu'est-ce autre chose que la privation
d'un bien ? » *Enchiridion*, 3 (11), trad. Rivière, Bibl. Augustinienne (cité dans
H.-I. Marrou, *Saint Augustin et l'augustinisme*, Seuil [1955], « Points », 2003,
p. 85.
10. *Enchiridion*, 3 (11) – 4 (12-13), in *ibid.*, pp. 85-86.

nature, d'être, de substance : le mal est un *défaut* de création, quelque chose qui fait défaut, qui manque, qui creuse un trou dans le plein, le plein-être et le pleinement bon de la création. Le mal n'est pas, ou n'a pas, d'essence : car il correspond à ce très paradoxal statut d'un lieu dans l'être où l'essence défaille, se dérobe à l'injonction d'être et lui fait défaut.

Or cette détermination augustinienne du mal nous frappe par sa parenté profonde avec la pensée platonicienne de la représentation : de l'image, de la *mimèsis* – pensée qui s'expose, on s'en souvient, dans le mouvement d'une méditation sur le spectacle[11]. Pour Platon aussi, la *mimèsis* n'est rien d'autre que cette paradoxale position d'un étant qui manque d'être. La pleine densité d'être est attribuée à l'*eidos*, que nous avons pris l'habitude de traduire par *idée*, mais qui désigne ce qui est pleinement, doué de l'entière consistance du réel[12]. Au regard de cet être, les divers objets qui en répliquent et en multiplient la forme sont déjà des apparences, des phénomènes, déficients en être et en réalité, moins douées d'être ou d'essence que l'*eidos* dont ils expriment et transposent la figure. Et l'imitation, *mimèsis* ou représentation, ne peut s'attacher qu'à ces apparences elles-mêmes, ne peut donc que donner l'image d'un apparaître, redoublant et aggravant le creux, le vice de cet existant radicalement déficient. La représentation devient alors l'opération qui porte à son paradoxal accomplissement ontologique ce défaut d'être, ce manque de nature et de réalité[13].

On comprend alors ce qui apparente le mal et le spectacle. L'un comme l'autre sont des hiatus, des fissures dans l'être. L'un et l'autre actualisent une nature manquante, un défaut de substance, une syncope d'essentialité. Je ne sais pas si on peut parler ici de source platonicienne chez Augustin : j'ignore comment les « platoniciens », ou néoplatoniciens, qu'il découvre pendant cette période s'expriment à ce propos, et si donc

---

11. Platon, *République*, livre III, 392c *sq.*, et livre X, 595 a *sq.*
12. 597 c.
13. *Cf.* l'étonnante formule dans *Confessions* VII, xv, 21, *op. cit.* p. 625 (« toutes [choses] sont vraies, en tant qu'elle sont, et rien n'est fausseté, sinon quand on imagine [*putatur*] qu'est ce qui n'est pas »), sur laquelle je reviendrai plus bas, § 5.

c'est par leur intermédiaire que l'apparentement thématique peut être compris. On trouve chez d'autres auteurs, qu'Augustin a connus (à ce moment où plus tard) des motifs analogues : par exemple dans le traité *De spectaculis* de Tertullien[14]. Mais l'observation me frappe tout de même : car elle permet de penser en quoi, au-delà d'une analogie de surface, ces voisinages dans le texte peuvent témoigner d'un dispositif conceptuel souterrainement relié. Le mal et le spectacle étant tous deux des formes de déficience ontologique, on conçoit que le spectacle soit aisément pensable comme un mal, et aussi, de façon plus surprenante, que le mal se manifeste spontanément par la voie du spectacle. Qu'il choisisse, naturellement si l'on peut dire, la forme-spectacle pour se porter à la vue.

3. Si la parenté de ces deux thèmes n'est pas signalée dans le texte d'Augustin lui-même – sauf par la proximité parfois de leurs occurrences –, nous disposons tout de même d'un indice de leur connexion. Pour le découvrir, rapprochons ce que dit Augustin du contentement ou de la satisfaction éprouvés dans les deux cas : dans la pratique du mal et devant un spectacle.

Pour ce qui est du mal, la description est célèbre. « Je voulais jouir (*uolebam frui*), non pas de l'objet que je recherchais par le vol, mais du vol lui-même et du péché.[15] » On se rappelle l'analyse qui suit : les fruits volés étaient beaux et bons, et pourtant dans le vol ce n'étaient pas leur beauté ni leur bonté qui attiraient, mais le seul fait du vol[16], qui cependant en lui-même n'était rien. Le plaisir pris au vol ne procède donc pas de la jouissance de ce qui est en tant que c'est (les fruits, par exemple), et donc en tant que c'est bon et beau – ce que sont les fruits comme fruits de la création, en tant que substances douées de la bonté de ce qui est. Le plaisir ne s'analyse que comme jouissance du vol lui-même, du fait de voler, qui n'est

---

14. Tertullien, *De spectaculis*, II, Ed. du Cerf, « Sources chrétiennes », 1986, pp. 83 *sq*.
15. *Confessions, op. cit.*, II, IV, 9, p. 347.
16. II, VI, 12, p. 351.

rien, jouissance de ce vide et de ce néant, *jouissance du rien*, à proprement parler. Le plaisir du mal est la jouissance du non-être en tant que tel[17].

Le plaisir éprouvé au spectacle ne fait pas l'objet d'une analyse aussi précise : et les passages concernés sont moins nombreux. Cependant, Augustin demande : « Comment se fait-il qu'au théâtre l'homme veuille souffrir, devant le spectacle d'événements douloureux et tragiques, dont pourtant il ne voudrait pas lui-même pâtir ? Et pourtant il veut pâtir de la souffrance qu'il y trouve, en spectateur, et cette souffrance même fait son plaisir (*uoluptas*). Qu'est-ce là, sinon une étonnante folie ?[18] » Cette « folie » (*insania*) semble se décomposer en deux éléments. D'une part, il se produit une jouissance engendrée par une cause imaginaire, irréelle[19]. Mais d'autre part, cette jouissance est jouissance d'une souffrance, d'une peine – jouissance d'un mal[20]. Il s'agit donc, doublement, d'un plaisir provoqué par l'absence de ce qui devrait porter à jouir, à se réjouir. Augustin le dit explicitement : il arrive qu'on doive approuver une souffrance, mais « aucune souffrance ne doit être aimée »[21]. Le Créateur, qui est tout entier engagé dans l'être et dans l'amour des êtres, n'est donc passible d'aucune souffrance[22]. Il ne souffre en rien : la souffrance est une modalité du mal, et donc du défaut d'être, le créateur qui est tout être ne saurait en être affecté. Jouir de la souffrance, c'est jouir de ce moins d'être qu'est le mal. Ainsi, le plaisir pris au spectacle est deux fois ancré dans les failles de l'être : parce qu'il s'attache à des objets imaginaires, et parce que ces objets

---

17. II, VIII, 16, p. 357. *Cf.* aussi VI, XII, 22, p. 565.

18. *Confessions*, III, II, 2, *op. cit.*, p. 365.

19. « Au théâtre, je partageais la joie des amants quand ils jouissaient l'un de l'autre dans l'infamie, tout *imaginaire* que fût leur action dans les jeux de la scène », III, II, 3, *op. cit.* pp. 367-368 (*tunc in theatris congaudebam amantibus, com ses fruebantur per flagitia, quamuis haec* imaginarie *gererent in ludu spectaculi*). Je souligne.

20. « Les larmes, voilà ce qu'on aime, et les souffrances ». III, II, 3, *op. cit.* p. 367. (*Lacrimae ergo amantur et dolores*).

21. III, II, 3, *op. cit.* p. 369. *Nonnullus itaque dolor adprobandus, nullus amandus est.*

22. « C'est ainsi en effet que toi, Seigneur Dieu, qui aimes les âmes, [...] aucune souffrance ne te blesse », III, II, 3, *op. cit.* p. 369.

expriment des souffrances et donc du mal. Ces deux niveaux s'interpénètrent : l'acteur sera tenu pour meilleur s'il me fait pleurer, si donc j'éprouve peine et souffrance devant son jeu[23]. La délectation du spectacle est ainsi très proche du plaisir pris à l'exercice du mal : c'est la jouissance de ce qui n'est pas en tant que cela n'est pas, c'est l'abyssale jouissance du néant. Simplement, dans le cas du spectacle, elle est comme répliquée en elle-même, redoublée sur soi : c'est la jouissance du mal, plus le plaisir de l'illusion. Ce qui résulte de leur affinité profonde, et l'éclaire en même temps : le spectacle est plus actif et plus efficace comme spectacle du mal ; l'illusion est comme à son aise, dans son élément s'il s'agit de redoubler le mal, ce manque d'être, en le mimant[24].

4. Or, parvenu en ce point, je voudrais faire une remarque sur la modalité même selon laquelle se met en jeu ce sentiment de plaisir ou de réjouissance, éprouvé dans l'exercice du mal aussi bien que devant le spectacle. Lorsqu'il se demande comment il est possible de ressentir du plaisir à voler, sans que ce plaisir ne se fonde sur les qualités propres de l'objet du vol – pourquoi j'ai aimé voler des poires, sans les goûter, sans les manger –, Augustin répond ceci :

« seul, je ne l'aurais pas fait [...] – seul, je ne l'aurais absolument pas fait. Là, j'ai donc aimé aussi la compagnie [*consortium*] de ceux avec qui je l'ai fait. Il n'est donc pas vrai que je n'aie aimé rien d'autre que le vol ; ou plutôt si, rien d'autre, car cet autre même n'est rien. [...] Puisque le plaisir pour moi n'était pas dans ces fruits, c'est qu'il était dans le forfait lui-même, dans le fait que nous étions associés [*faciebat consortium*] pour pécher ensemble. [...] Mais cela, moi, étant seul, je ne l'aurais pas fait ; non, je ne l'aurais pas fait, étant absolument seul. Voilà devant toi, mon Dieu, le

---

23. « À la représentation de l'infortune d'autrui, imaginaire et mimée, je prenais plus de plaisir au jeu de l'acteur et je lui trouvais un attrait plus violent, lorsqu'il m'arrachait des larmes. » III, ii, 4, *op. cit.* p. 369.
24. Rousseau argumentera longuement sur ce point : le mal est propice au spectacle, il est en affinité avec lui. « Il n'y a que la raison qui soit bonne à rien sur la scène ». *Lettre à d'Alembert sur les spectacles*, GF, 1990, pp. 68-69.

vivant souvenir de mon âme. Seul, je n'aurais pas fait ce vol, car ce qui me plaisait en lui c'était, non pas ce que je volais, mais que je volais. Or, pour moi, être seul pour faire cela ne m'aurait pas plu du tout, et je ne l'aurais pas fait. O amitié trop ennemie, [...] ! [25] »

Dégageons, au moins grossièrement, les thèmes de ces quelques lignes passionnantes. 1) Le plaisir pris au vol est indissociable de la compagnie, de l'association (du *consortium*), constituée dans le vol, pour et par lui. 2) Le lien est très profond. Augustin semble en difficulté pour l'énoncer conceptuellement, ce pourquoi il répète, de façon litanique : seul, je ne l'aurais pas fait. 3) Si on démêle cependant les passages où l'attache est tressée de la façon la plus étroite, il semble qu'on puisse dire, sans trop prendre de liberté avec le texte, que le plaisir éprouvé dans le vol se confond presque avec la compagnie : cela peut se lire en particulier dans la dernière phrase que je cite : « Seul, je n'aurais pas fait ce vol, car ce qui me plaisait en lui c'était, non pas ce que je volais, mais que je volais. Or, pour moi, être seul pour faire cela ne m'aurait pas plu du tout, et je ne l'aurais pas fait. » Si je lis bien, il y a là une sorte d'équivalence posée entre deux propositions : ce qui me plaisait n'était pas l'objet du vol mais le vol lui-même, d'une part ; et d'autre part : être seul pour voler ne m'aurait pas plu du tout. On peut donc être tenté de comprendre, même si Augustin ne le formule pas intégralement ainsi : le plaisir du vol *est* le plaisir de la compagnie, le plaisir du vol en tant que détaché de son objet est le plaisir même de l'association et du *consortium* ; ce détachement de l'objet, cette non-objectalité est la socialité elle-même. Et cet apparemment profond est attesté par la remarque en forme de concession : « Il n'est donc pas vrai que je n'aie aimé rien d'autre que le vol ; ou plutôt si, rien d'autre, car cet autre même n'est rien. » La parenté entre le plaisir du vol et le plaisir de l'association tient à ceci que l'un et l'autre (le vol et l'association) ne sont rien, ont en commun cette absolue déficience

---

25. *Confessions, op. cit.*, II, VIII, 16 – IX, 17, pp. 357-359.

au regard de l'être. Aimer voler, comme aimer la compagnie, c'est aimer un néant d'être : ce pourquoi on n'aime voler qu'en compagnie, et pourquoi la compagnie dont il s'agit se constitue autour de ce vide qu'est le vol : elle a ce vol comme objet – comme on dit, en français au moins, qu'une société a telle activité pour *objet*. Ici, l'objet, c'est faire le mal : c'est le rien lui-même. Association et malfaisance communiquent par leur profonde carence ontologique.

Examinons maintenant la même question à propos de l'attrait exercé par le spectacle. Et convoquons pour cela l'extraordinaire récit qui figure dans les *Confessions* au livre VI, chapitre VIII, paragraphe 13[26]. Il s'agit du moment où Alypius, ami d'Augustin, « fut saisi, pour les spectacles de gladiateurs, d'une avidité incroyable (*incredibili*), et cela d'une incroyable manière (*incredibiliter*) ». Écoutons ce récit, si vous le voulez bien.

> « Alors qu'il avait en aversion et en horreur ce genre de spectacles, quelques amis et condisciples, au retour d'un banquet, le rencontrèrent par hasard dans la rue et, malgré l'énergie de son refus et de sa résistance, ils l'emmenèrent avec une amicale violence à l'amphithéâtre [...]. Il leur disait : "Si vous traînez mon corps en ce lieu-là, et si vous l'y installez, croyez-vous que, mon esprit aussi et mes yeux, vous pouvez les diriger sur ces spectacles ? J'y serai donc sans y être, et ainsi d'eux et de vous je triompherai." Ils le laissent dire mais ne l'entraînent pas moins avec eux [...]. Quand ils arrivèrent là, et se furent assis où ils purent, partout bouillonnait la fièvre des plus cruelles voluptés. Lui, tenant fermées les portes de ses yeux, interdit à son esprit d'aller se plonger dans ces atrocités. Et plût au ciel qu'il se fût aussi bouché les oreilles ! Car, à la suite d'une chute dans le combat, une immense clameur de la foule entière le frappa violemment ; alors, vaincu par la curiosité, et se croyant prêt, quoi que ce fût, à mépriser ce qu'il verrait et à le vaincre, il ouvrit les yeux ; et il reçut un coup, et fut blessé plus gravement, dans son âme, que ne l'était, dans son corps, l'autre qu'il avait voulu voir [...] : cette clameur pénétra par ses oreilles, et descella

---

26. *Op. cit.*, VI, VIII, 13, pp. 545-546.

ses yeux [...]. En fait, dès qu'il vit ce sang, il but du même coup la cruauté et, au lieu se de se détourner, fixa son regard : et il s'abreuvait de fureurs et ne le savait pas ; il se délectait dans l'horreur criminelle du combat et s'enivrait d'une sanglante volupté. Il n'était plus maintenant celui qui était venu, mais une unité de cette foule vers laquelle il était venu, et le compagnon véritable de ceux qui l'avaient emmené. [...] Il regarda, cria, s'enflamma : il emporta de là, avec lui, une folie qui l'aiguillonnerait pour le faire revenir, non seulement avec ceux qui l'avaient entraîné d'abord, mais encore plus qu'eux, et avec d'autres qu'il entraînerait.[27] »

Examinons cette séquence étonnante. Je m'interdirai d'abord de considérer que la fable ne vaut que pour le cas particulier du spectacle de gladiateurs. Certes, celui-ci est une présentation de l'horreur pure : mais nul doute que pour Augustin il ne s'agisse là que de la forme *accomplie* d'une virtualité que porte en lui tout spectacle en tant que tel. Parce que le spectacle est dans une relation affinitaire avec le mal, on l'a dit, et aussi – on ne manquerait pas aujourd'hui d'exemples pour le soutenir – parce qu'à ce titre il est nourri par une fascination intime pour la présentation de la violence, si possible sanguinaire et à nu. De sorte que le combat de gladiateurs vaut ici comme une sorte de spectacle extrême, ou d'extrême du spectacle, qui en met au jour le ressort constitutif. La fable d'Alypius accède ainsi au statut d'allégorie formelle de la relation spectaculaire comme telle, et en général.

Que nous montre-t-elle ? D'abord, que l'entraînement au spectacle est une violence. Violence amicale (*familiari uiolentia*), d'allure bienveillante, mais violence tout de même, qui n'a que faire de la résistance qu'on lui oppose et n'a de cesse de la faire plier. Elle sait ce qu'elle fait d'ailleurs : l'important est que le spectateur rétif soit assis sur les bancs ou les gradins, le spectacle fera le reste. L'important est la venue, le trait, la capture du corps – sa *constitution* spectatrice (*si corpus meum in locum illum trahitis et ibi constituitis*) ; la blessure de l'âme viendra de surcroît.

---

27. VI, VIII, 13, pp. 545-547.

Encore faut-il qu'il ait les yeux ouverts : car, tant que les yeux restent clos, le spectacle (la fascination du mal) ne trouve aucune prise. C'est bien dans cette relation frontale, objectale, que le mal configure sa puissance et sa mainmise. Il n'y a de soumission au mal que comme sujétion à cette frontalité, comme défaite dans cet affrontement. Mais comment le spectacle conquiert-il cette victoire ? Quelle est sa force d'emportement, sa capacité de capture et d'entrain ? *Qu'est-ce qui peut forcer le rétif à ouvrir les yeux, portes de l'âme ?* La réponse est nette : c'est la clameur qui fait le travail. Le rempart est percé par l'oreille[28]. Cet élément indique que c'est bien la compagnie, la socialité, l'association qui ouvre la voie de l'âme, abat ses défenses, s'assure sa prise. Et cette voie est physique : agir par l'oreille, c'est prendre le corps de côté, la socialité est une puissance latérale. La frontalité de l'objet (sa présentation, sa mise en présence là-devant) n'apparaît plus que comme effet de l'emportement latéral. La latéralité de la contagion exprime et figure son caractère non-objectal, son vide d'objet : l'emportement saisit le spectateur *en l'absence de l'objet*, ou au moins en un temps où l'objet est démuni de prise, de frontalité, privé de son mode de présentation et d'emprise propres. *L'emportement ne vient pas de l'objet*, mais du voisinage.

Pour le spectacle comme pour le mal, l'accomplissement de la relation se joue donc dans un rapport à l'objet – même si ce lien paraît inversé dans un cas et dans l'autre : dans le mal (le mal que l'on fait, que l'on inflige), il s'agit de prendre l'objet, de s'assurer sur lui une domination, une appropriation, une prise. Dans le spectacle opère un rapport à l'objet aussi, qui s'établit en sens opposé : le spectacle, c'est la prise de l'objet sur soi, sa puissance de saisie, sa dictature. Mais de part et d'autre, est en cause le face-à-face avec l'objet, la force de sa domination frontale. Mais, ni pour le mal ni pour le spectacle ce n'est l'objet qui donne la clé de l'attraction, de l'attrait. Le tropisme du vol comme l'ivresse de l'arène ne

---

28. *Cf.* D.G., « L'oreille seule, Remarques sur la pensée de Shakespeare », in *L'Exhibition des mots*, réed. Circé-Poche, 1998.

procèdent que de la communication par la compagnie, la contagion, le *consortium*. C'est l'association qui fait l'entrain,
l'envie : c'est-à-dire la société, la socialité. L'objet, sa consistance, son poids d'être, n'y sont pour rien.

5. Il me semble qu'on peut alors formuler une hypothèse
sur ce lien entre le mal et le spectacle – hypothèse qui au fond
porte sur le mal lui-même : sur sa forme, sur le rapport que le
mal entretient avec sa propre manifestation comme forme.

Il existe, dans la théorie du théâtre, une analyse bien connue
sur « la double énonciation ». Lorsqu'un acteur en scène parle
à un autre acteur (un personnage à un autre personnage), il paraît
s'adresser à son partenaire, mais en vérité il s'adresse aussi, et
peut-être plus profondément, au public. L'acteur parle dans
deux sens à la fois : à son interlocuteur supposé sur la scène, et
au public qui est dans l'ombre. Et la seconde adresse, celle qui
s'ouvre au public, est la vérité de la première, elle la soutient et
la fonde. L'illusion spectaculaire tient donc à ceci : l'acteur
paraît diriger de côté, latéralement, vers le partenaire, un discours en vérité envoyé de face, frontalement, vers la salle.

À la lumière de ce que fait penser Augustin, on pourrait
coupler cette analyse à une autre, de forme assez semblable,
et qui concerne non plus la scène mais la salle. À ma connaissance, celle-ci n'a pas été souvent produite dans le champ des
études théâtrales. Il s'agirait de caractériser, non plus la double
énonciation, le double sens de l'énonciation (émise depuis la
scène), mais ce qu'on pourrait appeler *la double jouissance*,
le double sens de la jouissance, éprouvée dans la salle.
L'observation serait alors symétrique de la précédente. Au
spectacle, la jouissance paraît s'établir entre la scène et la
salle : entre un acteur qui joue et un spectateur qui regarde.
La jouissance de ce spectateur semble produite par le lien qui
s'établit, frontalement, avec ce qu'il voit, avec l'acteur qui
joue. Or, il existe un second sens de la jouissance, latéral
celui-là, qui relie ce spectateur avec les autres spectateurs, ses
voisins. Et le second sens est la vérité du premier : c'est le
rapport aux voisins dans la salle qui fonde, rend possible,
autorise la jouissance de ce qui se présente sur la scène. Ou,

pour le dire avec une nuance, si la connaissance est frontale, si la connaissance s'établit dans le regard vers la scène[29], le plaisir est latéral, le plaisir se propage de spectateurs à spectateurs. Dès lors, l'illusion spectaculaire consiste ici à attribuer à la scène ce qui provient de la salle, à imaginer que le plaisir résulte du rapport à l'objet alors qu'il se communique de sujets en sujets, côte à côte, latéralement.

On voit le rapport très profond qui relie cette expérience (celle du spectacle) et l'illusion fondamentale dont elle est porteuse, avec l'expérience du mal telle que Saint Augustin la pense, par exemple dans l'épisode du vol des poires. L'expérience du mal nous fait attribuer à l'objet une valeur qui, en vérité, profondément, s'établit dans la relation entre les sujets. L'expérience du mal s'enracine ainsi dans *l'illusion objectale, l'illusion d'objet* : dans le fait de vouloir valider par l'objet un plaisir dont la vérité se situe dans la contagion. Cette analyse est très nourrie des thèses de René Girard sur la contagion mimétique, la source mimétique de la violence. Dans le rapport de violence exercée entre nous (c'est-à-dire dans le mal même, dans tout mal infligé, qui n'est jamais autre chose qu'une violence), nous voulons considérer l'objet comme cause : cet objet que nous désirons, dont nous voulons jouir, que nous voulons disputer à l'autre, lui prendre, lui enlever, que nous voulons nous approprier et que pour cela nous voulons arracher à celui qui prétend le prendre, nous le prendre, nous l'enlever. Mais cette dispute sur l'objet est l'illusion même qui constitue le mal : elle n'en est pas l'apparence, la manifestation seconde, mais la nature même. Car, en nous disputant l'objet, par le vol, l'appropriation, la capture, la contrainte, c'est le rapport de violence mimétique avec l'autre que nous exprimons profondément, tout en le cachant. L'objet n'est que le voile – le voile d'objet, le voile objectal – de cette violence qui nous lie aux autres, qui le soutient et qu'il recouvre. Le mal est exactement cela : cette façon d'attribuer à l'objet une puissance qui nous vient de la contagion : de l'association, du *consortium*, de la socialité comme telle.

_____

29. *Cf. Poétique*, 4, 1445 b 6-19.

Considérée dans cette lumière augustinienne, la forme du mal pourrait être caractérisée ainsi : le mal consiste (mais c'est son in-consistance même) à projeter dans l'objet ce qui est désir de communion ou de partage, à s'aveugler sur ce désir, à ne pas accepter de le voir pour ce qu'il est, désir de circulation, de jonction, d'être ou de faire en commun. L'objectalité est la forme même du mal : l'illusion objectale, le fait de doter l'objet d'un poids ou d'une puissance de plaisir qui ne se tient, en vérité, que dans le rapport d'association, de société. Le mal est le transfert à l'objet de la joie du partage. En ce sens, la forme du mal est toujours spectaculaire : c'est la forme même du spectacle, qui consiste à croire que la joie vient de l'image, lorsqu'en vérité elle jaillit de la compagnie[30].

6. Permettez-moi, pour finir, un dernier rapprochement. Cette disposition conceptuelle éclaire, peut-être, la surprenante thèse de Rousseau sur les spectacles, contenue dans la *Lettre à d'Alembert*. Ce texte, de résonance très augustinienne, associe de près une réflexion sur le théâtre et une méditation sur le mal, et considère leur proximité essentielle. Toute son argumentation consiste à présenter la représentation (théâtrale en particulier) comme un mal profond, intrinsèque, presque pur. Vous connaissez peut-être l'occasion qui donna lieu à cet écrit très polémique. D'Alembert avait rédigé, dans le septième volume de *L'Encyclopédie*, l'article « Genève », dans lequel il expliquait que la cité suisse était

---

30. Voir une étonnante description (mais inversée) de ce phénomène dans *Doctrine chrétienne*, I, XXIX, 30 : « Dans ces théâtres où règnent la licence et la corruption, on voit un spectateur se prendre d'affection pour un comédien, et mettre son plus grand bonheur à le voir exceller dans son art ; il aime tous ceux qui partagent son sentiment, non en leur propre considération, mais en vue de celui qui est l'objet de leur affection commune ; plus son amour est vif et ardent, plus il s'attache à faire briller son talent et à lui concilier les cœurs ; s'il voit quelqu'un rester insensible, il essaie de vaincre sa froideur en l'accablant des louanges de son favori ; s'il en rencontre un autre qui haïsse celui qu'il aime, il s'irrite contre cette haine, et multiplie ses efforts pour arriver à l'éteindre. » (*Œuvres complètes de Saint Augustin, traduites pour la première fois en français sous la direction de M. Raulx, Tome IV, pp. 1-87. BAR-LE-DUC, 1866,* http://www.abbaye-saint-benoit.ch/saints/augustin/doctrine/index.htm ; NBA, IEÀ 1997, p. 115.)

douée de nombreuses vertus. Mais à la fin de l'article, il émettait une réserve (qui constituait peut-être le but de l'article lui-même). Genève avait un défaut, qui entachait et limitait ses vertus : le défaut de ne pas accepter l'ouverture d'un théâtre. Genève, disait en quelque sorte d'Alembert, serait plus fidèle à ses qualités admirables, elle les couronnerait, si elle ouvrait sur son territoire une « Comédie ». Rousseau, lisant l'article, se mit très en colère. Et il répliqua sans tarder, en formulant la thèse suivante : si Genève est dotée de toutes ces vertus, ce n'est pas *malgré* l'absence d'un théâtre mais précisément *grâce à elle*. Ce théâtre manquant est la cause absente qui rend la ville si vertueuse. Il suffirait d'ouvrir une Comédie pour que la vertu de la cité se disloque et bientôt s'effondre. Thèse très brutale : le spectacle, répète Rousseau durant tout le texte, c'est le mal même, c'est sa forme d'élection.

À la fin du pamphlet, ayant argumenté en détail contre le théâtre, la Comédie, les spectacles en général, Rousseau pose donc cette question, prévisible : « Quoi ! Ne faut-il donc aucun spectacle dans une République ?[31] » Or, à cette question attendue, il fait alors, *in extremis*, une réponse très étonnante : « Au contraire, il en faut beaucoup.[32] » Et il se lance dans l'éloge de l'assemblement du peuple, de ces réunions de fête, où une communauté libre se rapproche d'elle-même pour s'aimer et se donner du plaisir. Mais il formule une condition, *qui n'est pas rien*, à la possibilité de ces spectacles qu'il préconise et dont il chante la louange. Écoutons-le :

> « Mais quels seront enfin les objets de ces spectacles ? Qu'y montrera-t-on ? *Rien, si l'on veut.* [...] Plantez au milieu d'une place un piquet couronné de fleurs, rassemblez-y le peuple, et vous aurez une fête. Faites mieux encore : *donnez les spectateurs en spectacle ; rendez-les acteurs eux-mêmes ; faites que chacun se voie et s'aime dans les autres*, afin que tous soient mieux unis.[33] »

---

31. Rousseau, *Lettre à d'Alembert sur les spectacles*, GF, 1990, p. 232.
32. *Ibid.*, p. 233.
33. *Ibid.*, pp. 233-234. Je souligne.

La condition d'un spectacle vertueux, c'est qu'il se voie privé de tout *objet*. C'est d'être spectacle du rien, spectacle de rien. Afin de détourner le regard, de l'objet absent, vers les spectateurs, qui font désormais le contenu de la fête. On aura remarqué que toute frontalité est ici supprimée, le dispositif étant d'une circularité parfaite. Il n'y a rien d'autre à voir que les spectateurs réunis, et le but de l'assemblée est strictement de jouir d'elle-même, d'éprouver la plénitude de son partage, de s'aimer afin d'accomplir son unité. Le spectacle que demande Rousseau n'est un spectacle que par jeu sur les mots : c'est l'anti-spectacle même, le non-spectacle accompli, spectacle du rien-à-voir (sinon le public), spectacle sans scène, sans image, spectacle qui n'exhibe que son absence, et manifeste ainsi le rien qu'est toute scène, toute image. Il s'agit de *rendre l'image à son néant, à son rien*. C'est la condition de résorption du mal.

Je ne veux pas prétendre que la réalisation d'un tel programme soit souhaitable, vous vous en doutez peut-être. On peut y déceler, comme en filigrane, de bien sombres figures. Mais il me paraît souhaitable de comprendre que dans la postérité d'Augustin, et sans doute grâce à lui, se propose ici une détermination du mal comme forme : la forme du mal, c'est l'objet. Voilà la thèse qui nous attend au bout de ce parcours. La relation à l'objet est la racine, la condition, l'arrière-fond de tous nos maux. « L'erreur » de Rousseau – la méprise augustinienne ? – est (peut-être) d'en appeler à un sujet sans objet, à une subjectalité de l'assemblée pure, alors qu'il faut (peut-être) entreprendre de penser en dehors de cette frontalité constitutive, de ce binôme lui-même (sujet *vs* objet) qui nous pose en spectateurs d'un monde d'images, d'un monde-spectacle, d'un spectacle du monde, que nous nous disputons sans cesse, que nous nous convoitons les uns aux autres et nous arrachons avec violence.

Décembre 2003

CONTAGION ET PURGATION

La généalogie, ou l'histoire, des *évaluations* du théâtre, des appréciations touchant le bien ou le mal qu'il faut en penser, fait apparaître deux lignées distinctes, deux traditions qui parfois se croisent ou se mêlent, mais qui s'orientent bien différemment. La première lui est, dans l'ensemble, très hostile. Elle prend naissance, dit-on le plus souvent, chez Platon[1], et court ensuite, par Tertullien, Augustin, Rousseau, jusqu'à certains de nos contemporains – comme Debord –, même quand l'inimitié ne se porte plus spécifiquement sur le théâtre, mais sur le spectacle en général. D'ailleurs, l'incrimination de tout spectacle, et donc du théâtre par inclusion, est une des marques de cette continuité : ce qu'exprime la dépréciation du mot lui-même (*spectacle*) chez ces auteurs[2]. La seconde lignée part d'Aristote, dont la *Poétique* peut être lue comme une défense et illustration de la légitimité du théâtre, passe par quelques lignes de Thomas d'Aquin[3], très sollicitées plus tard par les défenseurs de la scène, s'illustre chez D'Aubignac, Corneille, puis, au prix de transformations qu'on n'évo-

---

1. *République*, III, 392c *sq.*, X, 595 a *sq.*
2. Tertullien, *De spectaculis ;* Augustin, *Confessions,* III, II, 2-4 ; Rousseau, *Lettre à d'Alembert sur les spectacles ;* G. Debord, *La société du spectacle* [1967], Folio-Gallimard.
3. *Somme de théologie*, II, IIae, qu. 168, art. 3.

quera pas ici, file de Diderot jusqu'à Brecht – et quelques autres[4].

Or, il me paraît utile de remarquer que ces deux traditions font appel à deux modèles, tous deux médicaux, pour caractériser l'effet du théâtre, ou de la représentation. Contagion, ou contamination, pour la première ; purgation (*catharsis*) pour la seconde. Diagnostic ou thérapie qui ont en commun de supposer la présence en scène d'un mal, d'une infection ou d'une maladie. Le mal, sur scène, est à sa place, à son aise. La plupart de nos auteurs convergent sur ce constat : la scène est peu propice à la présentation du bien. Le bien n'est pas scénique, pas spectaculaire, il fait pâle figure dans la représentation. Il ennuie, fait fuir[5]. L'efficacité spectaculaire est liée à la violence, à la nocivité, à la malfaisance de ce qui est exhibé. À peine peut-on produire une résolution finale en vue du bien, mais elle est de peu de portée, et ne reste possible que comme conclusion, sortie de scène. Mais, alors que Platon et ses successeurs auront à cœur de montrer que l'affection se répand de la scène au public, les aristotéliciens affirmeront plutôt que son apparition sur scène produit dans l'assistance un effet positif. Les deux modèles se distinguent donc par ce premier écart : le « platonicien » suppose un *continuum* de la scène à l'auditoire, un milieu homogène qui leur est commun et au sein duquel le mal se diffuse, alors que le schéma aristotélicien requiert une discontinuité, franche, une rupture et un renversement lorsque l'on passe du lieu scénique aux gradins où du public est assemblé.

Pour tenter de comprendre un peu le mouvement d'hostilité à l'égard du théâtre – qui fait, si j'ai bien compris, l'objet de

---

4. *Cf.* par exemple les ouvrages d'Henri Gouhier (philosophe catholique, on peut ici le rappeler), parmi lesquels *L'Essence du théâtre* [1943], *Le Théâtre et l'existence* [1952], réed. Vrin, *L'Œuvre théâtrale*, Flammarion 1958, *Le Théâtre et les arts à deux temps*, Flammarion, 1989.

5. Pierre Nicole, *Traité de la comédie, et autres pièces d'un procès du théâtre*, édités par L. Thirouin, Champion, 1998 (§ XIV, p. 64). J.-F. Senault, *Le Monarque ou les devoirs du souverain, ibid.,* p. 144. A. de Bourbon, *Traité de la comédie et des spectacles, ibid.* p. 205. Rousseau, *Lettre à d'Alembert*, GF 1990, p. 69.

la présente rencontre[6] – je voudrais partir d'un texte représentatif de la première tradition, le *Traité de la comédie* de Pierre Nicole, qui date de 1667. Voici quelques lignes de son début :

> « Une des grandes marques de la corruption de ce siècle est le soin que l'on a pris de justifier la Comédie [...]. Le moyen qu'emploient pour cela ceux qui sont les plus subtils est *de se former une certaine idée métaphysique* de la Comédie, et de *purger* cette idée de toute sorte de péché. La Comédie, *disent-ils*, est une représentation d'actions et de paroles comme présentes, quel mal y a-t-il en cela ?[7] »

Cherchant à se démarquer des partisans du théâtre, Nicole pointe donc d'abord la définition (« l'idée métaphysique ») que ceux-ci donnent de la nature de la représentation dramatique. Malgré son apparence anodine, cette définition n'est pas ici tenue pour neutre, mais est considérée plutôt comme un support préalable à une justification du théâtre, qu'elle rendra possible. Or, cette définition (« la Comédie, *disent-ils*, est une représentation d'actions et de paroles comme présentes »), cite évidemment celle d'Aristote – que je m'excuse de reproduire à nouveau ici, malgré la célébrité des formules[8] :

> « La tragédie est la représentation[9] d'une action noble, conduite jusqu'à sa fin[10], d'une certaine étendue, [...] exécutée par des personnages agissants[11], sans utiliser le récit, et qui, par la pitié et la crainte, opère la purgation[12] des émotions de ce genre[13]. »

Le fait de considérer la représentation dramatique comme « imitation d'action » (*mimèsis praxeôs*) est donc déjà, pour

---

6. Exposé prévu pour une table ronde intitulée « Haine du théâtre ». *Cf.* ci-dessous, p. 221.

7. *Op. cit.*, pp. 32-34. Je souligne.

8. J'utilise ici diverses traductions : J. Hardy, Les Belles Lettres [1932] coll. « Budé », 1990 ; R. Dupont-Roc et J. Lallot, Seuil, 1980 ; B. Gernez, Les Belles Lettres, « Classiques en poche », 2002.

9. Hardy et Gernez : imitation.

10. Dupont-Roc : menée jusqu'à son terme ; Hardy : complète ; Gernez : achevée.

11. Hardy : faite par des personnages en action ; Dupont-Roc : mise en œuvre par les personnages du drame.

12. Dupont-Roc et Gernez : épuration.

13. Hardy : de pareilles émotions. Dupont-Roc : de ce genre d'émotions.

Nicole, un élément de sa justification ultérieure. Comment comprendre cela ? La thèse aristotélicienne pose qu'il y a sur scène des actions. La *Poétique* ne cesse d'y revenir, de répéter ce terme, *praxis*, le déclinant selon toutes sortes de variantes. Action imitée, ou représentée, mais – J. Taminiaux l'a montré – qui ne cesse aucunement en cela d'être une action. Car l'action fait l'objet d'une *mimèsis* sans doute, mais cette mimèsis elle-même est mise en jeu, ou en œuvre, par des « agissants », *drontôn* (de *dran*, agir, qui donne *drama*), lesquels seront appelés quelques lignes plus loin *prattontôn* (proche de *praxis*), dans une formule intentionnellement redoublée [14] : imitation d'une action, où l'imitation elle-même est une action aussi [15]. Une parenté s'instaure entre l'action imitée et l'action d'imiter. Il faudrait dire « action d'imitation d'actions ». L'action est bien présente, en ce sens, sur la scène : action d'agissants, qui en imitant agissent. Il est difficile aujourd'hui de déceler s'il s'agit là des acteurs, ou des personnages – on se souvient qu'au XVIIᵉ siècle encore, la langue classique avec ce mot (acteur) ne fera pas la différence. Peut-être Aristote a-t-il en vue une espèce d'agissant qui réunit en lui les caractéristiques de ce que nous distinguerons plus tard. Ce que Szondi appellera, dans un autre contexte : *l'homme dramatique*. L'homme de l'action [16]. Nicole, discrètement mais fermement, dénonce cette vue active, pratique de la scène, qu'il voit porteuse d'une légitimation du théâtre – et lui oppose cette autre que voici.

Toute sa charge part d'une caractérisation du métier de comédien. C'est une des originalités, et une des nouveautés, du traité, qui ne condamne pas les acteurs du seul fait de leurs

---

14. Ou triplée : « Puisqu'il s'agit de l'imitation d'une action (*praxeôs esti mimèsis*) qui est exécutée (*prattetai*) par des personnages agissants (*prattontôn*) », 1449 a 378, trad. Gernez, p. 23. Il faudrait presque dire, pour faire entendre l'effet de répétition : puisqu'il s'agit d'une action dont l'imitation est agie par des agissants ».

15. Ce pourquoi il est important que la *mimèsis* se fasse « sans utiliser le récit ». L'usage du récit (même quand celui-ci relate une action) dispense de l'action sur scène, faite par des agissants, des agents – des « acteurs ».

16. « L'acteur et le personnage s'unissent pour former l'homme dramatique. » P. Szondi, *Théorie du drame moderne*, l'Âge d'Homme, 1983, p. 15.

mœurs déplorables ou de leur vie dissolue, mais en proposant une analyse de leur métier lui-même, de l'activité à laquelle ils se livrent sur la scène. Lisons-le :

> « C'est un métier [...] où des hommes et des femmes paraissent sur un théâtre pour y représenter des passions de haine, de colère, d'ambition, de vengeance, et principalement d'amour. Il faut qu'ils les expriment le plus naturellement et le plus vivement qu'il leur est possible ; et ils ne sauraient le faire, s'ils ne les excitent en quelque sorte en eux-mêmes, et si leur âme ne prend tous les plis qu'on voit sur leur visage. Il faut donc que ceux qui représentent une passion d'amour en soient en quelque sorte touchés pendant qu'ils la représentent [...]. Ainsi la Comédie, par sa nature même, est une école et un exercice de vice, puisque c'est un art où il faut nécessairement exciter en soi-même des passions vicieuses.[17] »

Cette thématique, reprise par Rousseau – qui a évidemment lu ce texte –, nous est aujourd'hui familière. Mais il faut se laisser à nouveau surprendre par sa singularité. En effet, on peut s'étonner à première vue de voir un platonicien, un augustinien – dont on attend une ferme critique de l'illusion scénique, image douée de peu d'être, fantôme sans réalité – avancer cette illustration de son efficacité, de sa portée réelle, de son inscription dans la concrétude des choses[18]. Ici la représentation dramatique – en l'occurrence : le rôle – devient un élément actif du réel consistant – la personne de l'acteur – qu'il peut infléchir et transformer. Où est donc passée l'accusation d'irréalité, d'inconsistance ontologique ? Notre surprise vient de ce que nous sautons, à la lecture, le point décisif, sans bien le remarquer. L'argumentation repose sur la première phrase : « C'est un métier [...] où des hommes et des femmes paraissent sur un théâtre pour y représenter des passions de haine, de colère, etc. ». La première fonction du théâtre n'est plus de donner une

---

17. *Op. cit.*, pp. 36-38.
18. La contradiction n'est qu'apparente, bien sûr. C'est en tant qu'elle est douée de moins d'être que l'image ou la représentation, pour Platon lui-même, s'inscrit dangereusement dans l'effectivité. *Cf.* ci-dessus, « Sur le spectacle comme forme du mal », pp. 173 *sq.*

« représentation d'actions », selon l'idée d'Aristote que Nicole attribue aux défenseurs de la comédie (« disent-ils »), mais devient, subrepticement, de « représenter des passions ». La représentation est toujours à son poste, mais à l'action, disparue sans crier garde, les *passions* se sont substituées. Et ce sont elles qui, désormais, font tout le travail : pour les représenter, il faut les éprouver, les exciter en soi, laisser place à leur énergie dévastatrice. Il n'y a pas de représentation de la passion qui ne soit effectivement passionnée, passionnelle. Aucune « fiction » de passion ici : l'âme doit prendre les plis qu'on voit sur le visage. Cette théorie du comédien – à ma connaissance une des premières apparues dans le champ de la réflexion philosophique[19] – fait fond sur la vérité du jeu. On ne s'étonnera pas que les avocats du théâtre s'appuient, un peu plus tard, sur la simulation, la distance, le mensonge, comme fera Riccoboni le fils, suivi par Diderot[20]. Ce sera plaider la séparation entre l'acteur et ce qu'il joue – sa non-contamination qui rompt la chaîne des germes, pose la possibilité de son innocuité, de son innocence. Ici, l'acteur est touché par ce qu'il montre. C'est la première contagion : celle du comédien par le rôle.

Cette contagion est passionnelle[21]. Le postulat qui soutient la condamnation du théâtre est que sur scène, il est moins question d'action que de passion. On peut s'étonner de cette opposition, et faire remarquer qu'action et passion sont étroitement liées, comme agent et patient, agir et pâtir, et qu'en un certain sens, il n'est aucune action qui ne produise une passion au point où elle s'exerce, ni surtout (c'est ici le point critique) aucune passion qui ne résulte d'un action dont elle soit l'effet. On pourrait donc penser qu'il s'agit seulement ici d'un chan-

---

19. L'idée selon laquelle la théorie de Platon vise directement les acteurs (défendue par exemple par L. Thirouin, in *L'Aveuglement salutaire*, Champion, 1997) me paraît reposer sur une reconstitution anachronique, qui lit le texte grec à travers des questions qui sont les nôtres, ou celles de la France du classique, et en tout cas n'y figurent pas explicitement.

20. F. Riccoboni, *L'Art du théâtre* [1750], Slatkine reprints, 1971, pp. 36-37. Diderot, *Paradoxe sur le comédien*, Le Livre de poche Classique, 2001, par ex. p. 134 (sur Riccoboni).

21. *Cf.* G. Forestier, « La fièvre passionnelle ou le but de l'imitation parfaite », in *Passions tragiques et règles classiques, op. cit.*, pp. 119 *sq.*

gement d'axe du regard, et que Nicole, mettant l'accent sur les passions, ne peut nier qu'il se fait des actions sur la scène. Sans doute. Mais ce déplacement entraîne une conséquence. Car les actions en scènes sont *des images*. Ce statut, acquis depuis peu et formulé dans ces termes, est attesté par exemple chez d'Aubignac un peu plus tôt. D'Aubignac est certes un partisan du théâtre : mais Nicole ne conteste pas ce point, ni ces éléments de discussion. L'époque voit la rupture entre action réelle et action jouée commencer de produire des effets profonds, et une partie du traité de d'Aubignac est occupée à établir très soigneusement cette distinction et ses conséquences[22]. À aucun moment, Nicole ne prétend remettre en cause le caractère imagé (représenté, fictif) des actions qui ont lieu sur scène. C'est que cette distinction *n'est d'aucun effet*, à ses yeux, sur la légitimité du théâtre, et ceci pour une raison fondamentale qui pourrait s'exprimer ainsi : *des actions en image produisent des passions réelles*. L'image, dans toute son irréalité, est pourvoyeuse de passions effectives, actives, concrètes. Ainsi en va-t-il du rôle, qui communique en effet à l'acteur les transports dont il est agité[23]. Le milieu homogène qui permet la circulation des germes est l'élément des affects, des affections. Celles-ci n'ont jamais rien de fictif : elle s'activent, circulent, passionnent et contaminent. L'affect saute la barrière ontologique, entre la fiction et la chose. On ne manipule aucune affection, fût-elle en image, sans en être affecté.

La contagion, ainsi enclenchée, peut se répandre désormais dans la salle. C'est ce que diront bien des adversaires du théâtre, contemporains de Nicole ou ultérieurs :

« La Comédie en peignant les passions d'autrui émeut notre âme d'une telle manière, qu'elle fait naître les nôtres, qu'elle

---

22. *Cf.* D.G., *Le Théâtre est-il nécessaire ?*, Circé 1997, pp. 43 *sq.*

23. Le mot « transport », très en usage dans la langue classique, exprime d'ailleurs très bien cette transitivité, cette capacité de translation et de communication des passions. « Les affections même communes ne sont pas propres pour donner le plaisir qu'on recherche dans les Comédies, et il n'y aurait rien de plus froid qu'un mariage chrétien dégagé de passion de part et d'autre. *Il faut toujours qu'il y ait du transport.* » P. Nicole, *op. cit.*, § 15, p. 66. Je souligne.

les nourrit quand elles sont nées, qu'elle les polit, qu'elle les échauffe, qu'elle leur inspire de la délicatesse, qu'elle les réveille quand elles sont assoupies et qu'elle les rallume même quand elles sont éteintes.[24] »

La chose avait été déjà exposée avec la plus grande clarté par Montaigne, dans une référence implicite à Platon :

> « Et il se voit plus clairement aux théâtres que l'inspiration sacrée des muses, ayant premièrement agité le poète à la colère, au deuil, à la haine [...], frappe encore par le poète l'acteur, et par l'acteur consécutivement tout un peuple. C'est l'enfilure de nos aiguilles, suspendues l'une de l'autre.[25] »

Or, cette contagion échappe à tout contrôle. Comme un apprenti-sorcier qui déclencherait, en fait d'inondation, un ravage épidémique, comme un biologiste fou et dépassé, le poète sait lancer le germe, à la rigueur le contenir en scène, mais n'a plus aucun pouvoir sur le mal quand il a passé la rampe. Car

> « les poètes sont maîtres des passions qu'ils traitent, mais il ne le sont pas de celles qu'ils ont ainsi émues ; ils sont assurés de faire finir celles de leur héros et de leur héroïne avec le cinquième acte [...]. Mais le cœur ému par cette représentation n'a pas les mêmes bornes [...] ; le cœur dévoué à tous ces sentiments n'est plus capable de retenue [...].[26] »

Telle est donc la puissance de l'image, dont les effets se diffusent d'abord sur la scène, puis de la scène à la salle, et encore, pourrait-on dire, de la salle à la vie, sans retenue ni mesure. Pascal verra, au principe de cette expansion sans frein, une sorte de contagion mimétique – comme par rivalité, frénésie de compétition – chaque spectateur se voulant capable de ce qu'il a vu ainsi montrer[27].

---

24. Armand de Bourbon, prince de Conti, *Traité de la comédie et des spectacles* (1666), in P. Nicole, *op. cit.*, p. 201.
25. *Essais*, I, 37. *Œuvres complètes*, Pléiade-Gallimard 1962, p. 228. *Cf.* G. Forestier, *Passions tragiques et règles classiques*, *op. cit.*, p. 130. Je ne sais si Montaigne connaissait le texte, mais la référence à Platon paraît patente : *cf. Ion*, 533 d-e, et surtout 535e – 536 a.
26. Armand de Bourbon, in *op. cit.*, p. 202.
27. *Pensées*, 764 (Lafuma), 630 (Sellier). *Cf.* Nicole, *op. cit.*, p. 137 : « Sa violence [*i.e.* : celle de la représentation des passions] plaît à notre amour-

Dans cette hypothèse, le plaisir éprouvé à la représentation est d'une tout autre nature que celui dont rend compte le modèle aristotélicien. En effet, pour Aristote, le plaisir pris aux imitations est d'apprentissage[28]. Son fond est ce contentement qu'on éprouve à connaître, ou plutôt à acquérir (à voir naître, à trouver) une connaissance. C'est *une intelligibilité* que propose la scène : l'émergence d'une forme (*morphè*), qui donne la joie de comprendre le réel, d'en dégager ou d'en repérer la figure : plaisir d'intellection, de pensée. Je n'entre pas dans la discussion de ce point, de ses résonances récentes (chez Brecht par exemple), de sa portée pour l'interprétation (dite « cognitive ») de la *catharsis*, ni dans l'appréciation de sa validité. Il me suffit ici de remarquer que ce plaisir de théâtre, jubilation active de connaître et de comprendre, émane d'un principe opposé à celui qu'interrogent les adversaires de la représentation dramatique. Car, pour eux, le plaisir dramatique est d'une constitution étrange, qui les surprend et les révolte, comme elle étonnait déjà Augustin, et Platon avant lui[29] : celle d'une joie de la souffrance. Toute passion pour eux est un pâtir, un subir, un « souffrir » au sens courant : une peine. L'éprouver est en subir l'épreuve. La question est alors de savoir comment le spectacle des passions (épreuve d'un déplaisir, d'un désagrément essentiel) peut engendrer contentement, ravissement même. Je ne pense pas que cette satisfaction soit en général comprise comme plaisir sadique : satisfaction que je trouverais à voir souffrir quelqu'un devant moi sur la scène, cependant que je me sais exempté de douleur. Non : puisque la contagion passionnelle fait passer le pâtir de

---

propre, qui forme aussitôt un désir de causer les mêmes effets que l'on voit si bien représentés. »

28. *Poétique*, 4, 1445 b 5 *sq.*

29. : « Comment se fait-il qu'au théâtre l'homme veuille souffrir, devant le spectacle d'événements douloureux et tragiques, dont pourtant il ne voudrait pas lui-même pâtir ? Et pourtant il veut pâtir de la souffrance qu'il y trouve, en spectateur, et cette souffrance même fait son plaisir (*uoluptas*). Qu'est-ce là, sinon une étonnante folie ? » (Augustin, *Confessions*, III, ɪɪ, 2, trad. Trehorel et Bouissou, Bibliothèque Augustinienne, DDB 1962, t. 13, vol. 1, p. 365). *Cf.* Platon, *République,* X, 605 d *sq.*

la scène à la salle, les fait communiquer et circuler d'un espace à l'autre, le goût de la représentation est donc plutôt celui que je trouve à ma propre souffrance. À mon propre pâtir, à ma peine et mon abaissement. C'est le plaisir morbide, littéralement démoniaque que suscite en moi le vertige du bas et du rien. Le plaisir est ici malade par essence – ou par défaut d'essence. C'est le plaisir du mal, la joie du mal, le contentement trouble et noir de la peine. Ce à quoi les partisans du théâtre, lorsqu'ils se seront laissé ferrer dans le piège d'un théâtre des passions, voudront répondre, bien maladroitement, par une réfection de la *catharsis* : le plaisir de la passion étant pensé comme celui qui s'épuise à être éprouvé, plaisir orgastique en quelque sorte dont les spectateurs du théâtre jouiraient devant leurs images, et qui s'éteindrait de lui-même par le seul fait d'avoir été excité, et assouvi. Proposition périlleuse : car, comme on sait, si un tel plaisir s'épuise en s'éprouvant, il trouve dans son extinction même l'élan de sa reviviscence toute proche.

Les deux traditions que nous évoquions à notre point de départ expriment donc bien, par-delà leurs évaluations opposées du théâtre, deux modèles d'interprétation du fait dramatique. Ou bien la scène est un lieu d'actions, de pratiques – et la salle peut voir naître en elle de la connaissance, du plaisir de découvrir et de comprendre. Ou bien la scène n'abrite que du sentiment, des mouvements d'affect – et la salle devient l'espace d'une contagion, d'une contamination passionnelle dont les effets ne se borneront assurément pas au dedans des murs qui enclosent le théâtre. Entre ces deux modèles, il nous faut peut-être encore aujourd'hui choisir. S'il s'agit de faire paraître le mal sur scène, par exemple, il faut peut-être décider si c'est pour le connaître, et donc pour le soumettre à un regard libre, ou si c'est pour le jeter en pâture aux passions sur les gradins. Le moindre paradoxe n'est peut-être pas que nous voyions si souvent la seconde hypothèse – celle de la condamnation du théâtre, de sa pathologie, de sa haine – occuper le théâtre lui-même. Comme si la victoire posthume de ces quelques penseurs désuets n'était pas, comme ils l'avaient naïvement espéré, d'avoir dissuadé le public d'assister à la Comédie, mais plutôt d'avoir contaminé à leur tour, d'une étrange haine du théâtre, nombre de nos scènes elles-mêmes [30].

Janvier 2004

---

30. Une question resterait à examiner avec soin, qui n'est pas abordée dans ces pages, ni d'ailleurs dans le reste de ce volume, quoique frôlée ici ou là : celle d'une voie de rénovation du théâtre, qui se nourrirait du réinvestissement de la scène *comme pratique*, et non comme lieu de représentation. Ce qu'ont cherché les praticiens qui ont voulu *justifier* le jeu, non par sa réception dans la salle, mais par son exercice même : le Brecht des pièces didactiques, conçues pour la mise en jeu par les seuls acteurs, le Grotowski des recherches sans public, etc. Quelque chose de ce modèle hante sans doute, un peu clandestinement, telles orientations finales du *Théâtre est-il nécessaire ?*, ou leurs prolongements suggérés dans « Une crise de la condition spectatrice ? », ci-dessus pp. 151 *sq.* Non pour réserver l'usage du théâtre à une élite de praticiens jouissant de leur privilège scénique, mais au contraire dans la perspective d'une démocratisation des plaisirs du jeu, avec l'horizon, utopique sans doute, de présentations publiques qui vaudraient plus comme partage que comme spectacle. La fête, quoi. Il reste que ce réengagement scénique de la *praxis*, postdramatique assurément, vaudrait comme retrouvaille inopinée avec le faire, positivement assumé, et plus seulement avec le défaire et ses inclinations négatrices.

LE THÉORÈME DE JOUVET

Jouvet était une sorte de génie théorique. Même dans la forme partielle et brouillonne où ils sont aujourd'hui disponibles, ses écrits constituent, me semble-t-il, l'ensemble le plus impressionnant de pensée réflexive jamais consacré au jeu d'acteur en langue française [1]. Dans ce massif, les deux volumes de cours donnés au Conservatoire pendant l'année 1939-1940 brillent d'un éclat particulier. Par une chance stupéfiante, nous disposons de la sténographie de nombreuses séances de l'enseignement délivré par le maître à de jeunes élèves comédiens. Ces documents, qui valent autant par leur vitalité, leur forme quasi-dramatique (ou socratique) que par leur contenu, ont souvent attiré l'attention [2] – même si leur commentaire théorique reste à faire. Et au cœur de ces volumes, se trouvent deux cours remar-

---

1. Dont la recension et l'édition rigoureuse se font attendre. Une part importante est publiée depuis des décennies, dans un classement qui est à repenser, et sans appareil scientifique de lecture. La place de cette œuvre dans la littérature théorique française justifie, et requiert, que cette tâche soit engagée sans tarder.
2. En particulier grâce au spectacle de Brigitte Jaques, *Elvire Jouvet 40*, et au film de Benoît Jacquot qui en a été tiré. Les cours ont été publiés sous les titres *Molière et la comédie classique*, Gallimard, 1965, et *Tragédie classique et théâtre du XIXᵉ siècle,* Gallimard, 1968, tous deux dans la collection « Pratique du théâtre ». Sauf erreur de ma part, la sténographie est due, fait très remarquable, à Charlotte Delbo. À propos de celle-ci, *cf.* N. Huston, *Professeurs de désespoir*, Actes sud 2004, pp. 146-157.

quables[3], intitulés « Texte, sentiment, respiration », sur lesquels je voudrais aujourd'hui présenter quelques observations philosophiques[4]. Mais pour lire ces textes, il faut s'acclimater à leur teneur étrange, déroutante. On découvre là une pensée en mouvement, qui se cherche, n'hésite pas à se contredire, maniant ses notions sur un mode qui paraît incertain, mobile, plastique. Et pourtant, on ne peut accéder à la richesse de ces écrits si l'on sous-estime leur exigence théorique, leur densité spéculative. Je supposerai a priori que les énigmes ou variances de la terminologie, comme les assertions paradoxales, recèlent une rigueur latente, expriment une tentative de production ou d'invention plutôt qu'un flottement, ou un usage maladroit.

J'aborde ce texte par ses premières phrases, que voici. C'est Jouvet qui parle, à un jeune comédien baptisé par convention Octave. Il s'agit de l'interprétation de *Phèdre*, indique l'ouvrage : en fait, on découvre peu après que le comédien travaille une séquence du rôle d'Hippolyte[5].

> « L. J. : Je vais te dire une phrase qui ne veut rien dire, que tu as déjà entendue cent fois : Tu ne penses pas ce que tu dis. Cela, tu l'entendras dire souvent par un metteur en scène, un auteur. En fait, *l'acteur ne pense pas ;* ce n'est pas vrai ; on ne peut pas penser sur scène. Tu ne peux pas repenser ce que Racine dit. C'est mécanique, chez l'acteur. Mais il y a une explication : tu ne penses pas ce que tu dis, c'est-à-dire, tu dis une phrase et tu passes à une autre. C'est difficile à expliquer.[6] »

Ce paragraphe liminaire comporte trois affirmations qu'il faut dégager. 1) Je vais te dire une phrase : Tu ne penses pas

---

3. Et remarqués. J'ai entendu J.-L. Rivière les commenter à deux reprises (colloque *Poétique et pratique du jeu*, Faculté de philosophie de Strasbourg, IET Paris III, TNS, janvier 1998, et colloque *Pensées du jeu*, CRHT Paris-Sorbonne, octobre 2003), à partir d'un point de vue différent de celui que je présente ici. L'idée de mettre en forme les remarques qu'on va lire m'est venue en commentant un exposé présenté sur ces mêmes textes par Xavier Henry, étudiant de maîtrise, au cours du séminaire « Théâtre et philosophie » que j'anime en Sorbonne, le 23 mars 2004.
4. « Texte, sentiment, respiration », dans *Tragédie classique et théâtre du XIXᵉ siècle, op. cit.*, pp. 30-36.
5. Le vers cité p. 30 est dans *Phèdre*, acte II, sc. II (v. 550-551).
6. *Op. cit.*, p. 30.

concrètes, presque mesurables : amplitude, cadence, fréquence, rythme. L'élément inerne est ici métrique ou rythmique. Le signifié (pour prendre cette autre analogie, dont je me justifierai dans un instant) la chose à signifier, à communiquer, à dire, est une espèce de signifiant. Du coup, l'opposition avec l'autre pôle, que nous disions physique, est plus complexe : lorsqu'il le précise, Jouvet reprend les deux termes déjà utilisés : émission, respiration. Il ajoute seulement le mot *diction* : « la respiration, la diction, c'est-à-dire l'émission en longueur » [13]. On a donc l'impression, au bout du compte, que si l'opposition entre texte et respiration met face à face une donnée mentale et une donnée physique, un dedans et un dehors, ce n'est pas du tout dans les termes convenus du débat esprit-matière, mais plutôt comme partition entre un mental mesurable, métrique, numérique presque, dont la réalité est d'ordre arithmétique et musical (au sens d'entités numériques constituant la forme métrique et rythmique du phrasé), et une profération corporelle, physique, organique, où les nombres du phrasé (ondes, fréquences) s'expriment en battements du corps (phonation, respiration).

Cette lecture peut paraître forcée. Il me semble qu'elle reçoit sa justification par les termes dont use Jouvet pour caractériser le deuxième élément, celui qui prend place entre texte et respiration, qu'il baptise *sentiment*. La seule suggestion dans cette page pour en préciser la nature tient dans la formule suivante : « Le deuxième élément : c'est le *sentiment* qu'il y a dans cette phrase, *l'idée sensible qui y est contenue.* [14] » Idée sensible : l'emploi de cet alliage (et de lui seul) étaie doublement notre propos : d'une part, il confirme que le deuxième élément, le sentiment, joue un rôle intermédiaire, de médiation entre le premier et le troisième ; et d'autre part, il valide les termes que nous avions choisis pour caractériser le face à face des deux éléments extrêmes, l'idéalité d'une part et la sensibilité de l'autre. Le sentiment, idée sensible, établit une sorte de

---

13. *Ibid.*, p. 32.
14. *Ibid.* Souligné dans le texte.

jonction entre l'idéalité (numérique, arithmétique, musicale) du texte et la sensibilité (physique, organique) de la respiration.

Or, cette expression (idée sensible) renvoie à une problématique fermement établie dans l'histoire de la pensée. D'une part, c'est la définition traditionnelle du signe, ou de l'opération de signification : l'idée désigne ce qui est à signifier (le « signifié », si l'on veut), et le sensible pointe la matérialité physique et perceptible par laquelle on lui donne corps dans le procès de signification (le « signifiant »). D'autre part – ce n'est évidemment pas sans rapport – cette sorte de paradoxe ou d'oxymore conceptuel (idée sensible) fait, pour certains grands systèmes de pensée, le cœur de la caractérisation philosophique de *l'art*. On pense à Hegel : « Le contenu de l'art est l'idée, et sa forme est la configuration imagée sensible. Or l'art doit intermédier ces deux côtés en une libre totalité réconciliée. » Et cela parce que le beau lui-même, qui fait l'objet de l'activité de l'art, « se définit comme le paraître sensible de l'idée »[15]. La relation avec Hegel est plus suggestive encore : parce que le philosophe insiste sur le fait que, pour s'établir comme « art », la relation ne peut pas seulement nouer une connexion entre une idée purement abstraite et une réalité physique tout extérieure. Il faut que des deux côtés les éléments à relier se *conforment* à cette « libre totalité réconciliée », qu'ils soient travaillés l'un et l'autre en vue de cette union. Que donc l'idée reçoive une forme concrète qui la dispose à la manifestation sensible, et que le corps se hausse en figure qui le mette en puissance de recevoir l'impression de l'idéalité[16]. C'est à quoi nous fait penser le modèle proposé par Jouvet : car l'idéalité du texte n'est pas faite de concepts abstraits, mais d'une « amplitude d'ondes », c'est-à-dire d'une idéalité formée, disposée concrètement en fréquences, cadences, etc. De même qu'à l'autre bout, la matérialité de l'émission extérieure n'est pas une pure compacité extérieure, mais

---

15. Hegel, *Cours d'Esthétique I*, trad. J.-P. Lefebvre et V. von Schenck, Aubier, 1995, pp. 98 et 153.
16. Le schéma est fréquent dans l'*Esthétique*. *Cf.* par exemple *op. cit.*, *I*, pp. 98-100.

une *respiration*, c'est-à-dire un corps vivant, organique, individuel. Le *sentiment* est donc bien pour Jouvet ce lieu où s'établit la signification du jeu, cet *art de l'acteur* qui procède par unification libre d'une idée avec une expression.

Or, après avoir proposé cette tri-partition, Jouvet revient à son thème du lien entre les phrases, apparemment abandonné entre temps.

> « Tout est lié là-dedans, à condition que tu penses, c'est-à-dire que la sensibilité que tu as, tu la contrôles en disant ce que tu dis, que tu ne passes pas d'une phrase à l'autre comme un express en brûlant les signaux. Dans ce que tu fais actuellement, tu débites, du récites, mais tu ne joues pas, parce qu'il n'y a pas à l'intérieur de toi-même, chaque fois que tu dis une phrase *ce petit travail sensible qui va modifier immédiatement d'une phrase à l'autre ta respiration, donc ta sensibilité, ta voix.*
> OCTAVE : Je comprends très bien.
> L. J. : Si tu comprends cela dans les morceaux que tu travailles, si tu en comprends l'importance, cette *façon sensible de penser*, tu feras des progrès considérables. Ce que tu fais n'est pas joué à cause de ce récit monotone. Ce sont des serpentins de vers qui te passent par la bouche, que tu sors, mais ce n'est pas *ta sensibilité qui les profère*. [17] »

Arrêtons-nous un instant sur ce morceau admirable. Tous nos thèmes y sont tressés. 1) Ton défaut se situe dans le passage d'une phrase à l'autre. Quelque chose n'a pas lieu pendant ce passage, parce que les phrases sont enchaînées sans aucune rupture, modification (tu passes d'une phrase à l'autre comme un express en brûlant les signaux, il manque cette modification entre elles, ce sont des serpentins de vers qui te passent par la bouche). Cette absence de bougé, de changement *entre* les phrases est ce qui te fait défaut *comme pensée* (« à condition *que tu penses*, c'est-à-dire etc. »). 2) Cette opération qu'il te faut acquérir est l'unité d'une pensée et d'un sensible (ce petit travail sensible, cette *façon sensible de penser*, cette sensibilité qui profère). « Façon sensible de penser » : on ne saurait

---

17. *Op. cit.*, p. 32. Souligné dans le texte.

philosopher de façon plus exacte. On s'étonne souvent, en lisant Jouvet, de la très grande maîtrise et précision de sa langue philosophique. Il serait utile d'étudier comment cet ancien préparateur en pharmacie en a acquis l'usage. On lui connaît certaines lectures (S. Weil, par exemple) mais il faudrait pousser l'investigation. En tout cas cette tenue, très contrôlée, est ici importante : elle montre que les variations terminologiques ou syntaxiques, les retours sur une formule catégorique qui se voit modifiée (comme ici : l'acteur ne pense pas, puis : à condition que tu penses) ne sont pas le fait d'un dilettantisme ou d'une mollesse, mais d'une intellection qui cherche, travaille par déplacements et sauts. En l'occurrence, le sentiment est caractérisé, avec netteté, comme *façon sensible de penser* : il n'y a rien là qui se coule dans une sentimentalité ou une émotivité du comédien[18]. Cette pensée dans le sensible est exactement définie comme *le jeu* de l'acteur (tu débites, tu récites, *mais tu ne joues pas* ; ce que tu fais *n'est pas joué* à cause de ce récit monotone).

Or, un rapprochement ici s'impose, à mes yeux au moins. Car l'émergence historique du concept de *jeu* s'est produite exactement par un travail de cette articulation entre le sensible et l'idée. À une certaine *époque* de notre histoire, la notion et le mot de *jeu* se sont affirmés comme indices d'un dépassement possible de l'aporie que constituait, de longue date, la jonction entre idéalité et sensibilité. Mutation attestée, sur un mode particulièrement explicite, dans l'œuvre de Schiller. Pour analyser la portée de la découverte contenue dans la *Critique du jugement* de Kant, et en tirer les conséquences, Schiller en vient à poser que l'idée même d'humanité tient à la possibilité de nouer ensemble instinct sensible[19] et instinct formel[20] (c'est-à-dire instinct de l'intelligible, capacité d'idéalité). Ce lien entre sensible et idée, qui fait l'essence de l'humain, est posé comme *instinct du*

---

18. Tout le cours suivant, également baptisé « Texte, sentiment, respiration », est consacré à combattre cette tendance. *Cf. op. cit.*, pp. 33-36.

19. *Sinnliche Trieb.*

20. *Formtrieb.*

jeu[21]. Ce qui donne lieu à une très célèbre thèse : « l'homme ne joue que là où dans la pleine acception de ce mot il est homme, et il n'est tout à fait homme que là où il joue.[22] » Evidemment, l'affirmation ne porte pas spécifiquement sur le jeu d'acteur. Mais la détermination de l'activité de l'acteur comme *jeu*, le fait de la désigner, puis de la penser, à l'aide de ce terme et de cette catégorie, sont contemporains de l'émergence de cette catégorie philosophique, dont Schiller est un déclencheur décisif. Si l'on a pu trouver dans l'idée de *jeu* la notion, le réceptacle théorique disponible qui permettait de désigner le régime paradoxal des actes des acteurs, c'est parce que dans le même temps, le jeu s'affirmait comme position d'une forme nouvelle de l'action, – et par là comme nouveau concept de l'homme – : puissance de nouer ensemble les deux régimes hétérogènes de l'idée et du sensible, à produire des idées sensibles ou à faire advenir le sensible de l'idée. Le jeu désigne exactement ce point de nouveauté (c'est l'homme même) ou sensible et idée entrent désormais en composition.

Sur le plan de l'analyse, quelque chose de particulièrement intéressant apparaît donc, à ce moment de notre lecture de Jouvet. Résumons. Dans le premier temps du cours, nous avions dégagé la problématique du passage d'une phrase à l'autre, connectée à la question de la pensée. Le manque, reproché à l'acteur comme défaut de pensée, est celui d'une modification, d'un changement entre les phrases, se produisant dans le « temps » non-empirique qui les sépare. Nous avons ensuite décrit une sorte de topique ternaire, où le « sentiment » vient prendre place, comme idée sensible, entre le caractère mental du texte et l'organicité physique de la respiration. Le passage ci-dessus confirme avec précision l'existence d'*un lien très fort entre ces deux thématiques*[23]. Dont nous pouvions

---

21. *Spieltrieb. Cf.* Schiller, *Lettres sur l'éducation esthétique de l'homme*, trad. R. Leroux, Aubier [1943] 1992, lettres 12 à 14, pp. 183-211.

22. *Ibid.*, Lettre 15, p. 221.

23. Entre, si l'on veut, la dimension syntagmatique (le passage d'une phrase à l'autre), qui engage la successivité, la diachronie, la chaîne discursive, et la dimension paradigmatique, qui concerne les deux dimensions simultanément

préjuger, puisque le mot « sentiment » passe d'un thème à l'autre, et justifie leur succession. Si Jouvet monte sa topique, c'est pour expliciter ce concept qui vient de surgir à propos du défaut de pensée. La pensée qui manque, dont le défaut se niche entre les phrases et non en elles, trouve son lieu propre, comme sentiment, entre texte et respiration. On peut donc légitimement réunir les deux temps du cours, et articuler ceci : le sentiment, authentique pensée de l'acteur, qui s'exprime entre les phrases comme modification interne donnant naissance à la phrase à venir, est une *idée sensible*, une façon sensible de penser. Le lien entre ces deux moments est l'espace de définition du *jeu*. Il désigne *ce que fait* l'acteur. C'est le théorème de Jouvet : l'acteur *joue entre les phrases*. La pensée de l'acteur, c'est son jeu : cette idée sensible d'une mue interne entre deux phrases qui donne naissance à celle qui vient.

Dans le cours qui suit immédiatement celui-ci, et auquel a été attribué le même titre, une partie de ces thèmes est reprise, avec de sensibles modifications. C'est ainsi qu'au reproche précédent (tu ne penses pas ce que tu dis) se substitue un reproche légèrement (mais fondamentalement) déplacé : « Tu penses trop *à* ce que tu dis »[24]. Ce cours tout entier devrait faire l'objet d'un commentaire attentif. Je ne fais ici que relever, au regard de ce qui nous occupe, une addition significative à la question du *sentiment :* celui-ci se trouve désormais enrichi d'un qualificatif. Il est désigné comme *sentiment dramatique.* Examinons cet ajout. Apparemment le cours a lieu un peu plus tard dans la même journée[25]. Jouvet ne s'adresse plus à « Octave » à propos de *Phèdre*, mais à « Viviane », aux prises avec un extrait des *Caprices de Marianne.*

---

possibles, idéale et sensible, leur synchronie. Mais c'est le principe même d'une telle distinction qui se trouve ici brouillé.

24. *Op. cit.*, p. 33. Je souligne. On note évidemment que l'actrice ne se voit pas reprocher de penser trop ce qu'elle dit, mais *à* ce qu'elle dit. Au sens de la note ci-dessus (n. 23), ce pourrait être : penser trop *dans* la phrase (prétendre la penser) plutôt que penser en avant d'elle, entre les phrases (penser dans le jeu).

25. « Tout à l'heure j'ai fait un discours à notre ami Octave [...] », *ibid.*, p. 33.

« [...] tu n'envoies pas au partenaire le sentiment en question, tu ne lui parles pas ; tu ne le lui dis pas ; tout reste en toi. Tu as bien compris le mécanisme des idées, des phrases ; tu l'as bien compris mais tu l'as dévié ; tu as mis des intentions personnelles, et tu as perdu le sens du mouvement ; tes phrases sont bien articulées, mais beaucoup trop ; tu ne parles pas au personnage, tu te parles et de ce fait tout le mouvement de la scène est perdu ; le sentiment dramatique ne sort pas de toi, tu ne l'extériorises pas, tu le gardes en toi. Rappelez-vous quand elle jouait Psyché, elle laissait le sentiment dramatique en elle, elle ne le propageait pas au personnage, au public. [26] »

Comment comprendre l'introduction de l'épithète *dramatique* qui vient qualifier le sentiment ? Il me semble qu'on peut y voir trois dimensions distinctes. Tout d'abord, cette qualification renvoie, de façon explicite, au fait que le sentiment doit être engagé dans un rapport *entre* partenaires, dans un dialogue. Il est alors *dramatique* au sens ou Szondi entend le drame [27], comme sphère de l'interhumain, comme exprimant le contenu de l'expérience humaine dans le mode déterminé de la relation entre sujets (tu n'envoies pas au partenaire le sentiment en question, tu ne lui parles pas, tu ne parles pas au personnage, etc.) Mais on remarque qu'en second lieu, cette rétention du sentiment en soi, qui en méconnaît la nature dramatique, ne concerne pas seulement le partenaire : elle ignore le public aussi : « elle laissait le sentiment dramatique en elle, elle ne le propageait pas au personnage, au public. ». Le manque de dramaticité du sentiment ne se limite pas à la dimension que nous avons appelée *de profil* (rapport entre les personnages), mais aussi au défaut d'expression *de face* (dans le rapport d'adresse, de présence au public) [28]. Cette dualité est étrange. En quoi peut-on dire que la dramaticité concerne le rapport au public ? Peut-être la chose s'éclaire-t-elle un peu avec le point qui suit. Car une troisième dimension paraît dans l'usage de l'adjectif *dramatique*, comme déterminant du

---

26. *Op. cit.*, pp. 33-34.
27. Cette approche de P. Szondi est évoquée à de nombreuses reprises dans le présent ouvrage. *Cf.* par ex. ci-dessus, « Actions et adresses », pp. 79 *sq.*
28. *Cf.* ci-dessus, « La face et le profil », pp. 7 *sq.*

sentiment. On peut en effet se demander jusqu'à quel point Jouvet ne cède pas ici à la tentation (implicite, latente, « en sourdine »), de déterminer comme *dramatique* le rapport entre idéalité et sensibilité[29]. Tentation de poser l'équivalence entre *idée sensible* et *drame*. Ce qui reviendrait à penser, dans la première expression, le rapport entre les deux pôles (l'idée et le sensible, le signifié et le signifiant) *comme action*. Équivalence à première vue surprenante, mais qui engage une certaine vue de l'arbitraire du signe : entre signifiant et signifié, se noue alors le lien d'une action. L'arbitraire du signe est celui d'un acte. Et si action – au sens dramatique du terme – renvoie à l'instance d'un choix, d'une supposée responsabilité, et donc d'une *décision*, l'assimilation revient, en toute cohérence, à concevoir *l'arbitraire* du signe comme *décision de signifier*. L'arbitraire est arbitral. Pour l'acteur, cela implique de supposer que ce qui se joue entre les phrases, le bougé qui fait passer de l'une à l'autre, le « signal » que l'express ne doit pas brûler, est le point d'une *action décidée*.

Mais cette approche ignore le caractère propre aux *actes des acteurs*. Si les acteurs agissent, ce n'est en rien comme les caractères du drame. Les acteurs ne sont pas des actants. Notre théâtre moderne a vu s'élever, se distinguer, émerger comme sa modernité même, la singularité du *jeu*. Et le jeu n'est pas le produit d'une séquence de *décisions*. Entre les phrases, Jouvet le dit admirablement, se joue une différence des sentiments. Or le choix même du mot sentiment renvoie à un certain quantum de passivité. Le jeu n'est pas une activité pure – au moins au sens délibéré, décisionniste, dramatique du terme. Le jeu est jeu de la passivité dans l'activité de l'acteur. Il noue l'action à la *présence*, à une passivité transcendantale. Il engage ce que Novarina appelle *la passion de l'acteur*[30]. Faire bouger le sentiment : la formule ponte cette jonction difficile. Il s'agit du sentiment : du senti, du ressenti,

---

29. Sur le plan théorique au moins : son conseil pratique est aux antipodes de ce danger.
30. *Cf.* ci-dessus, « De Proust à Novarina : les actes des acteurs », en particulier pp. 139 *sq.*

du passif. Mais de le faire bouger : donc d'un faire, d'une positivité, d'une pratique. On *manque* le jeu en l'indexant à l'action dramatique. L'acteur s'est émancipé du personnage tutélaire. Sur scène, il agit par une poussée donnée à (et reçue de) la différence du sentiment. Son « acte » appelle la construction d'un modèle qui déroute le décisionnisme. Ce qui émerge avec l'acteur, comme acteur, dans l'espace de notre modernité, et plus encore après elle, veut être pensé comme affranchi de la tutelle arbitrale. Pratique ou *praxis* de l'acteur, sans doute – mais il n'est plus sûr que ce concept suffise. Plutôt action post-dramatique. L'émergence de l'acteur et la crise du drame sont exactement simultanées. Elles ont affaire avec la même mutation. Il s'agit désormais d'un modèle d'acte – si « acte » est encore le mot – où notre passivité se voie créditée de puissance positive, productive, plus que l'agir censément nourri de décision nue. Pensée de l'acte où puissance et passion nouent une trame toute nouvelle, une fois l'agent royal déposé de sa souveraineté arbitraire.

« *Le sentiment arrive après l'exécution* », assène Jouvet dans la page qui suit[31]. Abrupt paradoxe, de ceux dont son enseignement n'est jamais avare. Ce sentiment, qui a été déterminé comme point d'émission, d'impulsion de la phrase, poussée ou bougé qui lui donne naissance, voici qu'il arrive maintenant *après elle*, après qu'elle a été dite « dix ou quinze fois ». *Le sentiment suit.* « Quand tu auras exécuté juste, quand, dans une scène, tu as dit juste au point de vue diction, au point de vue mouvement, le sentiment suivra, même si c'est purement mécanique. À la dixième, à la quinzième fois, tu verras que tout à coup tu auras le sentiment juste. [...] *N'attaque jamais une scène par le sentiment* »[32]. Le sentiment est un résultat. Il est un effet de la diction : de la pratique la plus physique, de l'extériorité, de la respiration organique. C'est la part claire de la passivité : *l'exécution* produit la justesse. L'acte de l'acteur n'est pas l'expression autonome d'un sujet : ni par sa décision libre et intime, ni par sa sentimentalité émotive.

---

31. *Op. cit.*, p. 34. Souligné dans le texte.
32. *Op. cit.*, p. 34.

« Il faut toujours que tu prennes les phrases dans leur amplitude [c'est-à-dire *:* leur idéalité sonore, comme texte] et dans
la diction [c'est-à-dire *:* dans l'organicité physique de la res-
piration], *n'attaque jamais une scène par le sentiment*[33] ». Le
sentiment *résulte* des termes qu'il lie : la liberté de l'acteur
naît de cette intrication nouvelle, nouvelle intrigue entre passivité et contrôle, qui nous reste à penser – et pas seulement
pour penser le théâtre.

Les actes des acteurs ne seront pas pensés par une
réduction au dramatique. Bien au contraire : penser l'acteur
dans l'espace clos du drame revient à l'écraser sur le personnage, à ignorer le mouvement spirituel dont son émergence est le symptôme et le témoin. « On peut appeler *inspiration* cette intrigue de l'infini où je me fais l'auteur de ce
que j'entends »[34], écrit Lévinas. Se faire l'auteur de ce qu'on
entend : exacte définition de *la tâche de l'acteur*. Or, pour
Lévinas, c'est là l'essence du prophétisme : non d'une vertu
réservé aux prophètes, mais d'une disposition qui fait « le
psychisme même de l'âme »[35], et dont le foyer s'alimente à
une certaine passivité. « Le lion rugit, qui n'en a pas peur ?
Iaveh parle, qui ne deviendrait prophète ?[36] » Lévinas, citant
ce passage, écrit qu'Amos – le prophète – y « compare la
réaction prophétique à la passivité de la peur qui saisit celui
qui entend le rugissement des fauves »[37]. Il entre dans le
prophétisme une passivité qui est réflexe de survie et de
salut. Exempte de toute inertie : peu de prophètes atones, la
soumission n'est pas leur fort. Le prophétisme comme
« témoignage pur » : attestation d'un sens et d'une parole qui
le saisissent et qu'il véhicule. « Prophétisme où je suis truchement de ce que j'énonce »[38] : encore une juste prosopopée
de l'acteur.

---

33. *Ibid.* Souligné dans le texte.
34. « Dieu et la philosophie » [1975], dans *De Dieu qui vient à l'idée, op.
cit.*, p. 124.
35. *Ibid., id.*
36. Amos, 3-8. Trad. in H. Jonas, *Entre le néant et l'éternité,* Belin 1996,
trad. S. Courtine-Denamy, p. 171.
37. *Op. cit.*, p. 124.
38. *Ibid., id.*

L'émergence de l'acteur témoigne d'une mutation de l'esprit. S'y rendre attentif n'équivaut pas à emphatiser sa condition, à la sacraliser ni l'alourdir d'une vocation mystique. C'est tout le contraire. On peut chercher à voir, dans le retournement par quoi l'acteur se fait truchement de ce qu'il dit, et qui lui vient d'ailleurs (« quand tu as dit juste [...] le sentiment suivra »), une passivité productive, une nouvelle intrication de passivité et de novation qui excède l'arbitrage décisionniste. Réduire les actes des acteurs à la logique dramatique ne fait pas comprendre ce qui nous arrive. Ce qui nous arrive excède, déborde et fait brusquement vieillir la raison du drame et ses destinations.

Avril 2004

Circonstances

« La face et le profil »
Université de Zurich (*Seminar für Vergleichende Literaturwissenschaft*, colloque : *La présence en littérature et en art*), 19 juin 2004 (à l'invitation de Marco Baschera).

*

« Objection au retour »
4e Forum du Théâtre européen, *Ecrire pour le théâtre d'aujourd'hui*, Saint-Étienne 1999 (à l'invitation de Daniel Benoin et René Lévy). *Du théâtre*, hors-série n° 11, février 2000, Actes Sud. Trad. brésilienne par F. Saadi, *Folhetim*, Rio de Janeiro, n° 8, 2000.

« Entre poésie et pratique »
« Du drame entre poésie et pratique », Université de Zurich, séminaire de romanistique, 9 décembre 1999 (à l'invitation de Marco Baschera). *Po&sie* n° 96, Belin, 2001.

« Problèmes d'écriture orpheline »
Université de Genève, mai 2000 (à l'invitation d'Eric Eigenmann). Trad. italienne, *Filosofia dell'arte*, n° 2, éd. Mimesis, Milan, 2002.

« Sortes de futur »
« Les futurs du drame », Groupe de recherche *Poétique du drame moderne et contemporain*, Université Paris III, avril 2002 (à l'invitation de Jean-Pierre Sarrazac et Jean-Pierre Ryngaert). *Registres*, n° 8, Presses de la Sorbonne Nouvelle, 2004.

« Actions et adresses »
Colloque *Dialoguer, un nouveau partage des voix*, Institut d'Études théâtrales, Université Paris III, 26 mars 2004 (à l'invitation de Jean-Pierre Sarrazac et Catherine Naugrette).

« Raison du drame »
Facultés Universitaires Saint Louis de Bruxelles (département de philosophie), 4 juin 2004 (à l'invitation de Laurent Van Eynde).

*

« D'une attente transmise en scène »
Les Cahiers de Prospero, n° 11, CIRCÀ Villeneuve les Avignon, 2000 (à l'invitation d'Elsa Solal et Françoise Villaume).

*

« De Proust à Novarina : les actes des acteurs »
Colloque *Pensées du jeu*, organisé par D.G. pour le Centre de Recherches sur l'Histoire du Théâtre (Université Paris-Sorbonne), le 2 octobre 2003.

« Une crise de la condition spectatrice ? »
Théâtre national de Bretagne, 11 novembre 2000 (à l'invitation de François Le Pillouër). *Théâtre en Bretagne*, n° 13-14, 1er trimestre 2002, Presses Universitaires de Rennes.

« Du paradoxe au problème »
Symposium international de Phénoménologie, Perugia, juillet 2001 (à l'invitation d'Uwe Bernhard, Reginald Lilly et Cecilia Sjöholm). Introduction à G. Simmel, *La Philosophie du comédien*, Circé, 2002.

« Sur le spectacle comme forme du mal »
Université de Pise (Département de philosophie), 11 décembre 2003 (à l'invitation d'Adriano Fabris). Trad. italienne par P. Marrati, *Teoria*, ETS Pise, n° 2/2004.

« Contagion et purgation »
Table ronde des Écrivains associés du théâtre, théâtre du Rond-Point, Paris, 9 février 2004 (à l'invitation de Louise Doutreligne et Alain Didier-Weill. Manifestation annulée). Trad. brésilienne par F. Saadi, *Folhetim*, Rio de Janeiro, n° 19, 2004.

« Le théorème de Jouvet »
Cours en Sorbonne (Université Paris IV, séminaire *Théâtre et philosophie*) du 23 mars 2004 (commentaire d'un exposé de Xavier Henry).

Index

Table

Imprimé en France par Mame à Tours
N° d'édition : 004072-01 - Dépôt légal : mars 2005